LOURDES
pèlerinage pour notre temps

René LAURENTIN

LOURDES
pèlerinage
POUR NOTRE TEMPS

Chalet / Œuvre de la Grotte

© Editions du Chalet, Lyon 1977.
ISBN 2-7023-0287-4

Préface

La vraie préface de ce petit livre consacré à Lourdes dans la mutation actuelle, ce sont les ouvrages précédents de son auteur. L'historien des Apparitions que fut René Laurentin depuis 1954, année où Monseigneur Théas lui demanda d'étudier le fait de Lourdes, n'a jamais perdu de vue son sujet ; et, l'on ne peut que s'en féliciter.

Cet intérêt constant nous vaut en tout cas ces quelques pages, où le familier de Lourdes, l'observateur attentif de la situation de l'Eglise dans le monde actuel et le théologien averti qu'il est se retrouvent pour nous livrer un témoignage vivant sur les problèmes pastoraux qui se posent dans la Cité mariale à l'heure présente. Il y voit en particulier un lieu de rencontre privilégié des orientations pastorales de Vatican II avec le « catholicisme populaire », représenté et vécu par de nombreux pèlerins ; ce qui, soit dit en passant, ne saurait étonner, car Bernadette était une fille du peuple.

Les notes, les constatations, les analyses qui jalonnent cette étude sont pertinentes. Elles mettent en relief l'effort tenté par tous les responsables des Sanctuaires pour accueillir les foules qui s'y présentent ; jeunes, adultes et personnes âgées, de tous pays et de toutes conditions, malades, handicapés et bien-portants ;

et pour aider ces personnes à insérer leur pèlerinage dans leur vie quotidienne, à la manière d'un temps fort qui leur redonnera un nouveau dynamisme chrétien.

Du reste, en plus des réflexions de grand intérêt qu'il consacre aux guérisons, et dans un autre registre, à l'hôtellerie et au commerce, il faut savoir gré à l'auteur d'avoir dégagé la source de ce renouveau. Il a raison de signaler qu'on la trouve dans la volonté persévérante de recentrer le plus fermement possible les composantes de tout pèlerinage en ces lieux visités par la Vierge Immaculée, sur l'essentiel, à savoir : le message qu'Elle a transmis à Bernadette, où l'on trouve un appel à la pauvreté, à la prière, à la conversion et, pour en valoriser la portée, une invitation pressante à recourir à l'Eglise et aux sacrements, tout particulièrement ceux de la Réconciliation et de l'Eucharistie. Ce qui conduit les pèlerins à aller vers la Vierge Marie et de la Vierge au Christ, l'unique Sauveur, par les chemins de Bernadette.

Ce sont des observations de ce genre, et beaucoup d'autres les illustrant, que l'on trouvera dans les pages qui suivent et dont l'évêque de Lourdes tient à remercier chaleureusement celui qui les a rédigées.

Elles s'adressent à ceux qui s'intéressent à la « religion populaire », à sa valeur et à ses possibilités ; à ceux aussi qui n'ont de Lourdes qu'une connaissance partielle et partiale ; et plus largement, à tous ceux qui veulent participer à la vie des pèlerinages qui s'y déroulent.

Le présent ouvrage répond au besoin de situer Lourdes dans le contexte religieux actuel : il indique comment elle traverse avec lucidité et courage la bourrasque qui secoue la foi de beaucoup à notre époque, et comment elle s'efforce de la revigorer. Nous ne pouvons que lui souhaiter de nombreux lecteurs.

† H. DONZE
Evêque de Tarbes et Lourdes.

SIGLES

AMIL : *Association médicale internationale de Lourdes.* Organe du Bureau médical.

LDA : *Lourdes. Documents authentiques*, 7 volumes, Paris, Lethielleux, 1958-1969. A partir du tome 3, en collaboration avec Dom Bernard BILLET, qui a édité seul le tome 7.

LHA : R. LAURENTIN, *Lourdes. Histoire authentique*, 6 volumes, Paris, Lethielleux, 1961-1964.

Lourdes, pèlerinage pour notre temps

Pourquoi un livre sur Lourdes aujourd'hui ?

Une actualité persistante et sans cesse renaissante a imposé ce projet.

En 1958, le Centenaire des apparitions avait été un succès de foule, de presse et de ferveur. Mais nombre d'intellectuels pensaient que ce sanctuaire du XIXe siècle jetait ses derniers feux et que les travaux d'histoire entrepris alors seraient le mausolée d'un passé révolu.

Bien au contraire, Lourdes n'a cessé de manifester une vitalité de mieux en mieux intégrée à la vie de l'Eglise et du monde en mutation. Ce qu'il y avait de vieillot, de particulariste, de nostalgique a disparu. Le pèlerinage devient de plus en plus un carrefour, un lieu de communication privilégié, une source. En ce monde que les prophètes de la contre-culture disent froid et sinistre, Lourdes répond à la recherche d'une présence, d'une transparence, d'un sens. Ce sanctuaire répond aussi à l'intérêt nouveau que provoque aujourd'hui la religion populaire, la *peregrinatio*, les signes, les charismes. Ce cas exemplaire mérite d'être mieux connu.

Un pèlerinage-type

Lourdes intègre un éventail de phénomènes religieux significatifs par leur vitalité comme par leur variété.

1. A l'origine, des apparitions de Notre Dame. Elles ont été approuvées au plus haut niveau qui soit[1] jusqu'à forcer les limites canoniques établies en la matière. Alors que les règles posées par Benoît XIV tendaient à situer les révélations particulières sur un terrain purement privé, les derniers Papes ont publié sur Lourdes nombre de textes qui impliquaient une reconnaissance publique. Benoît XIV donnait à ces approbations la valeur négative d'une simple permission ou *nihil obstat*. Ses successeurs du XXe siècle ont été jusqu'à des encouragements sans équivoque[2].

2. Dès le point de départ, un mouvement de foule spontané, qui s'est étendu progressivement de l'échelle locale à l'échelle mondiale, avant même qu'une autorité religieuse ne l'ait effectivement assumé.

Cette flambée de religion populaire n'est pas retombée. Le nombre de pèlerins n'a cessé d'augmenter depuis lors : le million de visiteurs fut atteint pour la première fois en 1908, pour le cinquantenaire des apparitions. Le cap des

---

1. R. LAURENTIN, *Fonction et statut des apparitions*, dans *Vraies et fausses apparitions dans l'Eglise*, Paris, Lethielleux, 1973, p. 149-202.

2. Voir le dossier de 35 documents établi par R. ROY dans *Maria et Ecclesia. Acta congressus mariologici mariani in civitate Lourdes, anno 1958 celebrati*, Roma, Academia Mariana, vol 12, 1962, p. 11-56. Le premier texte papal officiel remonte à 1904 (précédé, il est vrai, par des documents privés comme le Bref de Pie IX à Henri Lasserre, pour son livre, 4 septembre 1869). Les témoignages de Pie XII lors du centenaire sont particulièrement engagés. Au point que F. Roy considérait la vérité de Lourdes comme garantie par l'infaillibilité pontificale à titre de « fait dogmatique » : thèse que j'avais critiquée dans *Revue des Sciences philosophiques et théologiques* 48, 1964, p. 116-119).

Fatima a reçu des gages quasi équivalents à ceux de Lourdes et, de plus, la visite personnelle du pape Paul VI. Mais Pie XII avait décidé, pour le 15 août 1958, un voyage exprès à Lourdes, qui fut décommandé, en toute dernière heure, par son médecin, et qui aurait été le premier voyage papal depuis que Pie IX s'était constitué prisonnier au Vatican. Le service des C.R.S. était déjà en place dans les Pyrénées pour la sécurité du pape.

deux millions, épisodiquement franchi en deux occasions exceptionnelles (1954, année mariale, et 1958, Centenaire des apparitions) a été régulièrement dépassé depuis lors. De 1959 à 1964, le chiffre est monté de 2 à 3 millions. Les 3 millions et demi ont été dépassés depuis 1973. Et, une fois de plus, les records ont été battus (Centenaire excepté) en 1976 : 3 806 000 visiteurs (voir le tableau des pages 14-15).

Sans cesse il faut trouver de nouveaux espaces, de nouveaux locaux. Les Centres pour l'accueil des malades étaient insuffisants. Les deux hôpitaux existants ne pouvaient recevoir ensemble que 1 500 malades. C'était intenable, surtout les jours de départ et d'arrivée. On devait serrer les lits de manière déraisonnable et l'on ne pouvait même plus répondre à la demande. On refusait 15 000 malades par an, et 20 000 étaient obligés de loger chaque année dans les hôtels, tandis que les nouvelles exigences sanitaires obligeaient à diminuer le nombre des lits dans les locaux existants. Ainsi a-t-il fallu décider, en 1972, la construction du nouvel *Accueil Sainte Bernadette* : un hôpital moderne de 350 lits, installé de l'autre côté du Gave. Financé par les pèlerins eux-mêmes, il a coûté près de 3 milliards d'anciens francs (29 millions de francs lourds). Il a été ouvert au début de la saison 1977.

Lourdes a drainé un formidable réseau de communications, comme un fleuve creuse son propre lit. L'existence du pèlerinage a déterminé à y faire passer, dès 1866, la grande ligne qui relie Bordeaux à Toulouse. L'aéroport a enregistré 450 324 embarquements et débarquements en 1976 (chiffre record). En 1977, les pistes ont été allongées de 600 m pour permettre le décollage à pleine charge des longs courriers, y compris les Boeings 747 : ce qui va augmenter le nombre des pèlerins américains. Celui des pèlerins allemands et irlandais a doublé en 5 ans. Celui des pèlerins par route augmentera, l'été, avec les deux nouvelles routes vers l'Espagne : celle qui a été inaugurée en 1976, avec le tunnel d'Aragnouet, sous les

PÈLERINAGE DE LOURDES — STATISTIQUES ANNÉES 1951-1975

ANNÉE	Total Trains spéciaux	Trains spéciaux étrangers	Avions	Pèlerins Trains spéciaux	Pèlerins Trains ordinaires	Pèlerins et touristes « Route »	Pèlerins « Avion »	Personnes venues hors saison (divers)	Total « Pèlerins et touristes »	Malades hospitalisés (Accueil 7 Douleurs)
1951	416		140	249.600	630.000	650.000	1.051	101.349	1.632.000	24.224
1952	520	224	172	293.324	674.651	700.000	4.395	141.901	1.814.811	28.284
1953	345		224	216.909	399.224	500.000	6.250	210.480	1.332.863	25.725
*1954	670		854	392.229	907.390	900.000	25.527	350.921	2.596.891	33.580
1955	440	179	836	255.229	786.502	700.000	20.000	155.200	1.790.020	32.852
1956	472	184	811	279.239	651.692	700.000	19.600	150.500	1.801.031	33.065
1957	485	175	920	286.904	702.796	650.000	27.000	160.000	1.826.700	34.405
*1958	1.050	502	3.936	650.100	1.134.842	2.900.000	127.458		4.812.400	47.547
1959	535	247	1.595	303.004	697.020	1.147.757	52.219		2.200.000	36.737
1960	538	249	1.795	292.000	609.000	1.100.000	43.338	150.000	2.207.394	37.807
1961	558	256	2.931	331.877	848.308	1.260.000	62.698	170.000	2.672.883	40.826
1962	563	267	1.920	351.532	850.102	1.320.000	71.132	170.000	2.762.766	41.200

1963	597	281	1.935	407.387	887.460	1.350.000	84.595	170.000	2.899.442	49.250
1964	621	297	2.295	430.956	907.965	1.400.000	99.397	170.000	3.008.308	50.980
1965	608	275	2.573	434.853	907.510	1.420.000	108.221	170.000	3.040.584	51.802
1966	613	292	2.636	428.297	965.259	1.520.000	124.477	182.000	3.220.033	55.173
1967	625	295	2.671	387.087	969.539	1.420.000	149.859	170.000	3.096.478	53.135
*1968	533	239	2.270	321.135	1.043.335	1.150.000	112.382	120.000	2.746.853	48.119
*1969	574	261	3.167	354.762	821.324	1.500.000	152.541	185.000	3.013.627	49.821
1970	586	269	3.199	346.293	805.803	1.600.000	170.760	192.000	3.114.856	49.036
1971	616	297	3.636	394.002	802.458	1.750.000	218.065	198.000	3.362.525	44.731
1972	631	327	4.104	411.151	780.450	1.770.000	338.015	210.000	3.509.616	41.608
1973	655	340	4.216	413.759	759.873	1.795.000	404.888	215.000	3.588.520	46.234
1974	664	366	4.738	431.914	723.267	1.798.000	380.874	155.000	3.489.055	46.919
1975	672	334	4.672	440.321	703.378	1.810.000	414.301	225.000	3.593.000	48.269

*1954 : Année mariale; 1958 : Année du Centenaire des apparitions; 1968 : grèves en mai et juin; 1969 : Référendum, élection présidentielle, grèves en Italie.

SOURCES : *Recherches sur Lourdes*, n° 37 (janv. 1972), p. 48 et compléments recueillis à l'*Office de presse du sanctuaire* de Lourdes, d'après le *Bilan touristique annuel* de la ville et la lettre annuelle du Président de l'hospitalité.

N.B. Le pourcentage des pèlerins (venus à cause du pèlerinage ou qui ne seraient pas venus sans cela), par rapport aux voyageurs ordinaires (venus seulement pour affaires) a été établi en 1973 : 78 %, soit 2 799 050 pèlerins.

Pyrénées, et celle qui enjambe les montagnes par Gavarnie et le col de Boucharo. La réalisation du tronçon espagnol de cette grande route touristique internationale ne saurait tarder.

3. On trouve aujourd'hui à Lourdes un ensemble extraordinairement ouvert de pratiques culturelles :
— Les sacrements y sont en bonne place : l'Eucharistie, selon toutes ses dimensions, la Pénitence et l'Onction des malades, qui ont trouvé de nouvelles voies à Lourdes.
— Toutes les formes possibles de prière publiques et privées : liturgie officielle, processions, chemin de Croix sur la colline, rosaire et cantiques, rites populaires aussi : ceux qu'on rencontre un peu partout (offrandes, cierges... et d'autres, caractéristiques de Lourdes : au premier plan l'usage de l'eau, sous toutes ses formes, boisson, lotions, applications ou immersion. Avant les *revivals* protestants, les piscines de Lourdes ont réinventé cet usage longtemps aboli, qui vérifie le plein sens du mot grec *baptizein* : plonger dans l'eau. Ce fut le signe originel du christianisme pour Jean-Baptiste et pour Jésus lui-même dans les eaux du Jourdain. Ce signe a rejailli à Lourdes. Nous n'avons pas fini de saisir le sens de cette source...

4. A notre époque d'écologie, Lourdes reste un sanctuaire de plein air qui a subsisté et regagné du terrain, à contre-courant de la furie de bâtir, mais on y touve aussi trois basiliques, dont l'une est la plus longue du monde : un peu plus de 200 mètres.

5. Enfin, on y trouve la double vitalité d'une tradition et d'initiatives sans cesse renaissantes que nous aurons à détailler. Ce livre s'attachera essentiellement à manifester l'articulation et l'harmonie entre la pastorale et la réalité populaire de Lourdes.

Lourdes contesté

L'entreprise vaut-elle la peine d'être tentée ?

On peut se le demander, car Lourdes est contesté, non seulement par les protestants, mais par de larges milieux catholiques engagés. Leurs objections tiennent en ceci :

1. Cette polarisation vers un lieu d'apparition, cette nostalgie du ciel ouvert pour Bernadette ne détourne-t-elle pas les pèlerins des réalités terrestres où se jouent les engagements des hommes et le sort du monde, les relations de justice et de charité que Dieu habite (Mt 19, 20) ? Le pèlerinage n'est-ce pas, sinon l'opium du peuple, du moins un alibi pour les chrétiens en désarroi, ceux que l'on dit « paumés » ?

2. Ne s'agit-il pas d'une religiosité close qui bloque des évolutions nécessaires, et entretient des formes de piété archaïques et contestables ?

En 1967, la statistique d'un pèlerinage du Nord de la France enregistrait, a-t-on dit, plus de 50 % de non-pratiquants. Et la question se posait : le voyage à Lourdes n'est-il pas une compensation facile ? N'est-ce pas entretenir une illusion que de proposer à ces gens, pendant 3 jours, un marathon de pratiques religieuses (messes, processions, rosaires, etc.), qui leur font une bonne conscience à bon marché ? Ceux qui ont la satisfaction de dire, en repartant : « On a tout fait », ne reviennent-ils pas confirmés dans leur négligence antérieure ?

Le sanctuaire n'est-il pas une sorte de « mauvais lieu » qui éteindrait le besoin religieux en lui donnant une satisfaction grossière ?

3. Ces visites à la Grotte où Bernadette vit « l'Immaculée Conception » ne sont-elles pas une forme de piété sentimentale, émotionnelle? Les pèlerins ne suivent-ils pas l'attrait d'une exaltation collective, ou tout simplement l'instinct grégaire,

qui agglomère les hommes « là où il y a du monde », là où le jeu d'intérêts multipliés (agences de voyages et autres organisations de transports, festivals, publicité de toutes sortes) drainent les foules, qu'il s'agisse de spectacles, de plages ou de super-marchés ?

4. Enfin, l'attrait des guérisons ou autres faveurs ne relève-t-il pas d'une orientation sinon magique, du moins égoïste (centripète), opposée au mouvement oblatif (centrifuge) de la religion authentique ?

La réponse à ces difficultés serait théoriquement simple. Il n'y a pas lieu d'opposer ciel et la terre, la prière et l'engagement, le sentiment et la foi, la recherche personnelle de Dieu et la dimension communautaire, le désir et le désintéressement, etc. Le christianisme authentique ne dissocie pas ces termes complémentaires. Il réalise normalement un équilibre où l'appétit religieux se convertit en don de soi, où la foi intègre les harmoniques de la sensibilité; où les aspirations eschatologiques suscitent les engagements terrestres; où les rites sacramentels nourrissent la charité. Mais cet équilibre est fragile, menacé, il comporte des échecs.

— *Je ne suis pas fier de la pastorale que je fais ici*, me disait un religieux d'Amérique Latine, en me faisant visiter un sanctuaire à Notre Dame de Lourdes qu'il avait fondé selon le modèle courant dans ces régions : affluence énorme, un jour par semaine, procession ininterrompue devant une statue qu'on venait toucher, embrasser, en versant une obole.

Les dévotions surnaturalistes, piétistes, formalistes, voire magiques ou superstitieuses, ne sont pas un vain mot. Déjà, les prophètes d'Israël ont stigmatisé la ferveur religieuse qui ne brise pas les chaînes d'injustice, et laisse à l'abandon la veuve et l'orphelin (Is 56, 6-8; cf. 1, 17 et Za 7, 6-11).

Lourdes avait longtemps réagi aux objections par une apologétique chatouilleuse et combative. Depuis quelques années, les responsables des sanctuaires assument les critiques.

Non pas la contestation radicale, celle d'Harvey Cox première manière, qui récusait toute activité rituelle ou liturgique dans *La cité séculière*, mais les critiques de chrétiens engagés qui reprochent aux pèlerinages :
- d'être marginaux dans l'Eglise;
- de se situer dans un cadre spécifiquement religieux, à contre-courant de la pastorale d'aujourd'hui... et d'arracher les chrétiens à leur milieu de vie;
- de créer une communauté passagère qui se tient en dehors de la vie réelle.

L'accueil fait à ces critiques exigeantes a été un facteur de renouvellement. Et nombre d'entre elles sont aujourd'hui dépassées. Nous allons voir comment.

I

Ce qui est arrivé à Lourdes

Mais qu'est-ce donc que Lourdes ?

Avant de considérer la vie actuelle et l'avenir du sanctuaire, il faut en saisir l'origine.

Avant 1858

Nous glisserons sur la préhistoire d'un site fréquenté depuis des millénaires par des populations qui ont laissé des haches de silex et autres pierres taillées. Nous glisserons aussi sur l'histoire ancienne qui émerge de la légende au Moyen-Age. Ainsi raconte-t-on que le chef Sarrasin Mira, assiégé dans la forteresse de Lourdes, aurait fait porter à l'assiégeant, Charlemagne, une truite qu'un aigle aurait laissé tomber sur la citadelle affamée, et que ce même Mira se serait rendu à Notre-Dame du Puy pour abjurer Mahomet. Ce récit a laissé trace dans les armes de Lourdes où figure « une aigle éployée de sable marbrée d'or tenant au bec une truite d'argent ». Et il est vrai que la ville de Lourdes paya jusqu'en 1789 un tribut de suzeraineté à Notre-Dame du Puy.

Au recensement de 1852, prescrit par Napoléon III, Lourdes comptait déjà 4 280 habitants. Sa situation-carrefour, au confluent de sept vallées, en bordure des premiers reliefs pyrénéens lui avait valu d'être le siège du Tribunal et de la garnison, au détriment d'Argelès, la sous-préfecture, plus excentrique.

Blottie autour de son château médiéval tel un bœuf hiératique couché sur le piton rocheux, la ville avait du charme et un caractère. Pourtant, on pouvait y passer sans s'y arrêter, pour peu que des nuages extérieurs ou intérieurs assombrissent le paysage. Sur son carnet de voyage, Hippolyte Taine a seulement noté :

> *Près de Lourdes, les collines se pèlent et le paysage s'attriste. Ce n'est qu'un amas de toits ternes, d'une morne teinte plombée, entassés autour de la route.*

Un siècle plus tard, au recensement de 1968, la ville comptait 18 310 habitants, et ce chiffre peut doubler, tripler, quintupler, selon les jours, durant la « saison des pèlerinages ». C'est alors une ville internationale où se multiplient congrès et manifestations de toutes sortes : religieuses, mais aussi culturelles, artistiques et sportives.

L'histoire de Lourdes *comme pèlerinage* a commencé le 11 février 1858.

Les 18 apparitions

A cette date, l'héroïne de la promotion de Lourdes, Bernadette Soubirous, 14 ans (7 janvier 1844, † 16 avril 1879) est une des enfants les moins considérées, les plus méprisées de la ville. Son père, François Soubirous, est un meunier ruiné, tombé à l'état de « brassier » c'est-à-dire *manœuvre* : louant ses *bras* à la journée, 1 Fr 50 par jour, un peu moins cher qu'un cheval loué 2 Fr par jour. Moindre énergie, moindre salaire. Pendant la famine de 1856, François Soubirous a fait de la prison. Victime d'un vol de farine, le boulanger Maisongrosse a dirigé les soupçons sur ce chômeur, père de quatre enfants : « C'est l'état de sa misère qui me fait croire qu'il pouvait être l'auteur de ce vol », a-t-il déclaré à l'ouverture de l'enquête, le mardi 31 mars 1857 (R. Laurentin, LDA 1, p. 134). L'argument fut jugé suffisant pour déterminer l'arrestation. Bientôt suivie d'un non-lieu.

Les Soubirous, père, mère et quatre enfants habitent le plus minable logis de la ville : le rez-de-chaussée du cachot, ancienne geôle désaffectée à cause de son insalubrité. Bernadette, l'aînée des quatre, n'a pu fréquenter l'école. Elle est strictement analphabète.

Malgré son vif désir, elle n'a pu aller au catéchisme, et n'a donc pas pu faire sa communion à 14 ans. Au lendemain des premières apparitions, le vicaire de Lourdes, l'abbé Pomian, fera ce constat atterré : « Elle ignore jusqu'au Mystère de la Sainte Trinité. » Elle ne sait que son chapelet. Elle vit, sans bigoterie, la piété des pauvres et des simples, un don de soi, un abandon, une union simple et profonde à Dieu. Sur ce terrain, elle n'aura pas de conversion à faire. Sans langage propre, elle recourt volontiers à celui que l'Eglise propose : elle mange le pain de la prière comme celui de chez le boulanger (quand il y en a), même si c'est du pain noir. Bernadette dit le chapelet en français, sans bien comprendre les mots. Elle ne connaît que le dialecte local, celui que lui parlera l'apparition : « le patois de Lourdes », selon sa propre expression.

Le jeudi 11 février 1858, vers midi, elle va ramasser du bois et des os au bord du Gave, à 1 km à l'ouest de la ville. Les os, c'est pour vendre à la chiffonnière Letscina de Barou. Tandis qu'elle se déchausse pour passer l'eau quelque chose la surprend :

> *J'entendis un bruit comme si c'eût été un coup de vent. Alors je tournai la tête du côté de la prairie (du côté opposé à la Grotte). Je vis que les arbres ne remuaient pas. Alors, j'ai continué à me déchausser.*
> *J'entendis encore le même bruit. Comme je levais la tête en regardant la Grotte, j'aperçus une dame en blanc. Elle avait une robe*

blanche, un voile blanc, une ceinture bleue et une rose jaune sur chaque pied, couleur de la chaîne de son chapelet. Alors je fus un peu saisie. Je croyais me tromper. Je me frottai les yeux. Je regardai encore et je vis toujours la même dame. Je mis la main dans ma poche: j'y trouvai mon chapelet. Je voulais faire le signe de croix. Je ne pus arriver la main jusqu'au front. Elle m'est tombée. Alors le saisissement s'empara plus fort de moi. Ma main tremblait. Cependant je ne m'en fus pas. La dame prit le chapelet qu'elle tenait entre ses mains, et elle fit le signe de croix. Alors j'ai essayé une seconde fois de le faire, et je pus. Aussitôt que j'eus fait le signe de croix, le grand saisissement que j'éprouvais disparut. Je me mis à genoux. J'ai passé mon chapelet en présence de cette belle dame. La vision faisait courir les grains du sien, mais elle ne remuait pas les lèvres. Quand j'eus fini mon chapelet, elle me fit signe d'approcher, mais je n'ai pas osé. Alors elle disparut, tout d'un coup[3].

Sur le chemin du retour, sa sœur Toinette lui arrache la confidence « sous le sceau du secret », puis, sur l'heure, raconte tout à sa mère. Les deux filles sont battues « avec le bâton à battre les couvertures ». Il ne faudra plus jamais aller à cette grotte !

Mais le dimanche suivant (14 février), les gamines de la « classe des indigents » que Bernadette fréquente enfin, depuis son retour de Bartrès, en fin janvier (LHA 2, p. 66-67), obtiennent la permission de retourner à Massabielle. Pendant l'apparition, Jeanne Abadie, une grande fille de 13 ans, qui suivait à distance, bascule, du haut de la falaise, « une pierre grosse comme un chapeau ». Le projectile tombe au milieu du groupe et rebondit dans le Gave. Il ne touche personne mais jette la panique. Une partie des compagnes de Bernadette s'enfuient à grands cris, d'autres entraînent la voyante, toujours en extase, qui résiste. Elles font appel à l'aide du meunier Nicolau, et l'amènent jusqu'au moulin voisin. Louise Soubirous, la mère, accourt avec un bâton. Cette fois, la décision paraît définitive : Bernadette ne retournera plus à Massabielle.

---

3. *Bernadette, Récits autographes*, dans R. LAURENTIN, *Histoire authentique des apparitions*, t. 1, Paris, Lethielleux, 1961, p. 46-48 et *Bernadette raconte les apparitions*, ib., 1958, p. 5.

Le jeudi 18 février, Mme Milhet, employeuse de Louise Soubirous, remet tout en question. Elle a décidé d'emmener Bernadette afin d'éclaircir cette affaire qui a piqué sa curiosité désœuvrée. Quelle est donc l'identité de l'apparition que Bernadette désigne abstraitement sous le nom déroutant d'*Aqueró* ? (en patois : Cela). Ne serait-ce pas une âme du Purgatoire ? Mme Milhet emporte une plume et du papier pour que l'apparition inscrive elle-même son nom. Au début de l'apparition elle invite Bernadette à tendre l'écritoire vers le trou du rocher. *Aqueró* sourit et prend la parole pour la première fois, pour donner cette réponse :
— *Ce n'est pas nécessaire.*

Elle ajoute :
— *Voulez-vous avoir la grâce* (en patois : *aoue era gracia*) *de venir ici pendant 15 jours.*

Bernadette acquiesce et entend alors ces mots austères :
— *Je ne vous promets pas de vous rendre heureuse en ce monde, mais dans l'autre.*

Dès lors, elle se rend chaque matin à la Grotte, du vendredi 19 février au jeudi 4 mars, sauf deux jours de la quinzaine : un lundi et un vendredi (22 et 26 février). Ces deux jours-là, les autorités civiles : Procureur impérial, Commissaire de police avaient interdit les visites à la Grotte en faisant pression sur les parents de Bernadette. Une « force irrésistible » l'y avait attirée... mais en vain.

A partir du milieu de la quinzaine, la voyante reçoit de brefs messages (à la mesure de sa faible mémoire), qui resteront la charte du pèlerinage.

D'abord des invitations à la *prière* et à la *pénitence* pour la conversion des pécheurs (25 février).

Puis une demande à transmettre aux autorités de l'Eglise, pour l'établissement même du pèlerinage :
— *Allez dire aux prêtres qu'on vienne ici en procession et qu'on y bâtisse une chapelle* (parole du 2 mars).

La demande de la chapelle est réitérée aux apparitions suivantes.

Cependant, la foule grossit :
100 personnes, le 21 février
350, le 25
1150, le 28
8000, le 4 mars.

Ce jour-là, le dernier de la quinzaine, la foule est venue de loin. Elle s'étend sur l'autre rive du Gave (qui baigne alors le côté gauche de la Grotte). Les gens, venus nombreux dès la veille au soir, attendent un miracle ou une révélation extra-ordinaire. Rien ne se produit, sinon un incident décevant. Au retour, Bernadette rencontre une jeune barégeoise, les yeux bandés, car elle ne supporte pas la lumière. Ses parents la guident comme une aveugle. Elle guette la voyante qui passe. Touchée de compassion, Bernadette l'embrasse. Toute joyeuse, Eugénie Troy (tel était son nom) enlève son bandeau. La foule s'enflamme. Miracle ! Une aveugle a été guérie. En fait, Eugénie Troy n'était pas aveugle. Elle n'est pas guérie, elle mourra l'année suivante, le 9 juin 1859. C'est donc la déception sur toute la ligne pour les fervents de la Grotte.

Mais, avant l'aube du 25 mars, jour de l'Annonciation, Bernadette se réveille. La voilà de nouveau attirée à la Grotte par la mystérieuse apparition dont elle ignore toujours le nom :
— C'est la Sainte Vierge, disent les gens.

Bernadette, elle, n'en sait rien. Elle continue à dire *Aqueró* et c'est la raison préjudicielle pour laquelle le curé de Lourdes récuse ses demandes. Comment obéir aux requêtes d'une personne dont on ignore l'identité ? En cette fête de l'Annon-ciation, Bernadette interroge donc avec insistance :
— *Mademoiselle voulez-vous avoir la bonté de me dire qui vous êtes.*

Aqueró ne fait que sourire. Mais à la quatrième fois elle répond :

— *Que soy era Immaculada Conceptiou.*
— Je suis l'Immaculée Conception.

Bernadette ne comprend pas ces paroles[4]. Elle les répète tout le long du chemin, pour les transmettre à son curé. Elle est mal accueillie. Sans doute Pie IX a-t-il défini, 4 ans auparavant (1854) que Marie a été « préservée du péché originel », mais la formule répétée par Bernadette est choquante : la Vierge Marie est *conçue sans péché*, mais elle n'est pas sa conception, se dit Peyramale. Pour cacher l'émotion qui le saisit, au-delà de toute argumentation, il renvoie brusquement Bernadette et bat le rappel de sa raison théologique. Il écrit, le jour même, à Mgr Laurence, une lettre qu'il a malheureusement détruite, plus tard, fâché d'y trouver l'expression de ses objections premières. Et c'est seulement dans l'après-midi que Bernadette apprendra ce que veulent dire les mots mystérieux qui avaient été si mal accueillis le matin. C'était donc bien la Sainte Vierge !

Le 7 avril, mercredi de Pâques, Bernadette est de nouveau attirée vers la Grotte. Elle entend encore une fois la voix de l'Immaculée. C'est la dernière apparition publique.

Epidémie de visionnaires

Dès lors l'affaire tourne mal à Lourdes. L'appétit des visions s'est enflammé en même temps que la ferveur. On se résigne mal à cette absence de communications célestes.

Le 13 avril 1858, cinq femmes, fascinées par le mystère de la Grotte, vont chercher une échelle à la ferme voisine des Espélugues et pénètrent dans une crevasse qui ouvre sur la voûte rocheuse au fond et à droite de la Grotte. Elles progres-

---

4. Sur cette ignorance et cette incompréhension de Bernadette, et comment elle apprit le sens de ces paroles (seulement dans l'après-midi du 25 mars), LHA, p. 98-105; cf. 123-133.

sent en rampant, sur 7 à 8 m, dans le boyau étroit et découvrent soudain, en face d'elles, à la lueur d'un cierge, une forme blanche d'apparence humaine : une stalactite. Elles croient avoir vu l'apparition. Plusieurs d'entre elles sont congréganistes. Elles reçoivent meilleur accueil que Bernadette, à la mesure d'une meilleure réputation. Dès lors les visions prolifèrent. La contagion atteint une cinquantaine de personnes, surtout des enfants de l'école[5] et dégénère en simagrées.

Le jugement de l'évêque

C'est alors que Mgr Laurence, évêque de Tarbes, intervient. Le 11 juillet, il blâme ces déviations, invite au calme, et annonce une enquête pour tirer tout au clair. L'épidémie des visionnaires cesse immédiatement. Mais l'enquête ne peut s'ouvrir. L'autorité civile a interdit l'accès à la Grotte. Elle y a établi une palissade, qui est reconstruite après chaque destruction nocturne... La situation est tendue entre l'administration et la population qui continue à venir en prière à la Grotte, en dépit des procès-verbaux et des paroles démobilisatrices de Bernadette qui dit : « N'y allez pas ! »

Le 16 juillet, au coucher du soleil, elle ressent une dernière fois l'attrait qui la mettait en marche vers la Grotte, mais elle respecte l'interdiction préfectorale. C'est sur l'autre rive du Gave qu'elle s'approche de la Grotte, dans la pénombre du soir, camouflée sous un capulet d'emprunt, afin qu'on ne la suive pas. Elle s'agenouille, commence le chapelet, et, aussitôt, toute distance abolie, elle voit « l'Immaculée », « au lieu ordinaire ». Cette dernière apparition silencieuse est un adieu. Elle fut si discrète qu'elle faillit échapper à l'histoire[6].

---

5. Répertoire prosopographique des visionnaires, dans R. LAURENTIN, *Lourdes, Documents authentiques*, 2, 1957, p. 57-86, avec répertoire chronologique p. 86-87 et conclusion p. 88-116 : tous les textes sont cités *in extenso* dans ce répertoire.

6. LHA 6, p. 227.

Le 4 octobre 1858, l'empereur Napoléon III, en vacances dans les Pyrénées intervient. Les barrières de la Grotte sont enlevées. La Commission nommée par l'évêque de Tarbes s'y rend le 17 novembre. Trois ans et deux mois plus tard, le 18 janvier 1862, Mgr Laurence publie sa décision, dont la forme reprend, à quelques variantes près, celle que Mgr de Genouilhac avait employée pour La Salette :

> *Nous jugeons que l'Immaculée Mère de Dieu a réellement apparu à Bernadette Soubirous, le 11 février 1858 et les jours suivants, au nombre de 18 fois, dans la Grotte de Massabielle[...], que cette apparition revêt tous les caractères de la vérité, et que les fidèles sont fondés à la croire certaine,*

Ce jugement se fondait sur Bernadette (la force et la limpidité de son témoignage comme de sa vie), sur le mouvement de prière et de conversion qui se développait à la Grotte, et sur les guérisons.

Des guérisons

Celles-ci commencent, au milieu de la quinzaine des apparitions, le jeudi 25 février. Ce jour-là, Bernadette entend cette parole :
— Allez boire à la source et vous y laver
Anat beoué en'a hount è b'y laoua

Elle se dirige vers le Gave. Mais *Aqueró* lui fait signe d'aller au fond de la Grotte. Bernadette n'y trouve pas d'eau : seulement de la boue rougeâtre. Elle gratte la terre, forme un un petit « clot » (trou), où monte un peu d' « eau sale ». Elle essaie d'en boire, mais sa répugnance est la plus forte. Trois fois elle la rejette. C'est seulement à la « quatrième fois » qu'elle s'exécute.

Dans la foule, où l'enthousiasme n'avait cessé de monter, ce fait nouveau produit les impressions les plus fâcheuses. Jean-Baptiste Estrade, commis à cheval des contributions indirectes, venu l'avant-veille en sceptique, avait été émerveillé par l'extase. Depuis lors, il répétait à ses amis du *Café français* et ailleurs :

— *J'ai vu Mlle Rachel au théâtre de Bordeaux, elle est sublime, mais infiniment en dessous de Bernadette en extase.*

Il avait entraîné des amis à Massabielle pour partager son enthousiasme. Et voilà que le sublime sombre dans le terre à terre. La voyante est revenue du fond de la Grotte le visage maculé de boue. Il repart atterré, sous les quolibets de ses amis. (« Elle a des poux ! » déclare ce jour-là Elfrida Lacrampe, qui ajoute en propres termes : « Vous nous avez emmenées voir une petite merdeuse ! »)

Dès ce soir-là, pourtant, quelques personnes, curieuses de ce que Bernadette était allée faire au fond de la Grotte, puisent de l'eau à leur tour. Ce faisant, elles agrandissent et dégagent davantage le gîte de la source, obstrué de moraines. Les premières bouteilles d'eau de Lourdes remontent en ville ce soir-là[7]. Des malades en boivent et s'en trouvent bien. Mais rien de marquant n'a émergé durant ces premiers jours. Des sept guérisons homologuées par l'évêque de Lourdes, la première en date remonte au 1er mars 1858, trois jours avant la fin de la quinzaine des apparitions. C'est la nocturne aventure de Catherine Latapie-Chouat : pauvre femme, réduite à la plus extrême misère par une chute qui avait entraîné paralysie et déformation de sa main. De nuit, elle part pour la Grotte, avec ses deux plus jeunes enfants, quoique enceinte, dans l'attente imminente du quatrième. A la Grotte, elle plonge dans l'eau sa main, qui retrouve d'un coup toute sa souplesse. Elle est alors saisie par les premières douleurs de l'enfantement. Elle part en hâte, avec sa marmaille, refait en sens inverse les 7 km qui la séparent de chez elle, et, dès

---

7. LHA 5, p. 317-449 (sur la huitième apparition et la découverte de la source), et 430-431 (sur les premières bouteilles puisées à la source, le jour même de sa découverte).

l'arrivée, accouche seule et « sans douleur », selon sa propre expression.

Dès lors, les guérisons foisonnent, mais l'illusion s'y mêlait. La Commission épiscopale eut fort à faire pour trier la masse des papiers que le docteur Dozous avait griffonnés, dans un enthousiasme parfois confus. La sélection réalisée par le chanoine Baradère (avec l'aide d'un médecin), puis par le Dr Vergez, professeur agrégé de médecine, manifeste un sens clinique et critique très averti pour l'époque. Les professeurs Maurice Bariety, de l'Académie de Médecine, François Thiebaut, Pierre Mauriac, et le docteur L. Cornet, à qui j'avais demandé une appréciation sur ce dossier en ont formellement témoigné[8].

Durant les années suivantes le pèlerinage se développe, à l'échelle non seulement de la région, mais de toute la France (le fait de Lourdes a été discuté dans la presse parisienne dès mars 1858); bientôt du monde entier.

Le P. Picard, qui avait réussi à emmener, de très loin — contre tous les avertissements de la prudence humaine — les malades jusqu'à Lourdes, mobilisait la prière lorsqu'un pèlerinage semblait s'achever sans guérison, jusqu'à ce que le ciel se manifeste.

Un jour même, au témoignage d'Henri Lasserre, un des malades étant mort, il le fit plonger dans la piscine, tandis qu'il mettait la foule en prière pour obtenir sa résurrection (qu'il n'obtint pas).

Le mot « miracle » est celui qui revenait le plus souvent dans les journaux et les conversations courantes, lorsqu'on parlait de Lourdes. La polarisation passa par un maximum, au temps où Zola fit son fameux voyage à Lourdes et le roman qui en résulta. Ses notes de voyages nous ont laissé là-dessus un témoignage pittoresque et saisissant. Les croyants, écrit-il

---

8. LDA 5, p. 362-369.

parlent des guérisons, des miracles, avec une facilité, une tran-
quillité inouïe (...). Ils racontent des histoires à dormir debout
sans la moindre protestation de leur raison (...). Et ce ne sont
pas seulement des crétins, des illettrés, mais il y a des hommes
comme Lasserre, comme Boissarie (...). C'est inimaginable, et
c'est ce qui a fini souvent par me jeter dans un malaise, dans une
sourde colère, qui aurait fini par me faire éclater. Ma raison se
débattait. J'imagine que les gens qui finissent par se convertir
doivent passer par cet état, avant le naufrage définitif de leur
raison [9].

Cette fascination vient de ce que la santé est perçue comme
le bien le plus précieux pour qui l'a perdue, et que la guérison
est un événement qui parle. Et si le mot miracle tend à pré-
valoir sur le mot guérison, c'est parce qu'il signifie mieux
l'éclat d'une merveille. Les expressions : « Croire au miracle »,
« Croire à Lourdes » sont devenues équivalentes dans le langage courant. Pourtant, le message transmis par Bernadette
ne parle pas de miracle, ni même de guérison : mais seulement de « prière » et de « conversion ». Le reste est venu par
surcroît.

La pastorale de ces dernières années a réagi contre un
débordement manifeste, notamment contre une propagande
du style :
— Viens à Lourdes et tu seras guéri.

Elle a recentré fermement sur l'essentiel, mais parfois
jusqu'à verser dans un excès contraire. Un certain intellectualisme chrétien perçoit les miracles et guérisons de Lourdes
comme un corps étranger. Nous verrons comme on assiste
aujourd'hui à un renversement de cette tendance, et à la recherche d'un point d'équilibre.

9. Emile ZOLA, *Mes voyages, Lourdes, Rome.* Journaux inédits présentés et annotés
par René TERNOIS, Paris, Fasquelle, 1958, 302 p.
    L'idée du roman lui était venue en septembre 1891 à une heure où il cherchait
« autre chose ». Son avant-projet commence par ces mots : « *Un roman sur Lourdes.*
En ce moment de mysticité, de révolte contre la science, un admirable sujet.* » Sur
ce livre, voir R. LAURENTIN, dans *La vie spirituelle,* 99, 1958, p. 395-402.

Tels sont les faits saillants.

En bref, Lourdes est né comme un mouvement populaire suscité par un élan mystique et charismatique : car les apparitions, le message de Bernadette et son témoignage relèvent de l'ordre des charismes. Ceux-ci se sont prolongés, sous des formes authentiques ou déviées (épidémies de visionnaires), dans les foules qui accourent très vite à Lourdes.

Les premières formes d'expression : prière, usage de l'eau, décoration de la Grotte, etc. s'organisèrent spontanément, en dehors du clergé, qui assuma progressivement le pèlerinage.

Nous considérerons Lourdes à ces deux niveaux :
- l'attrait spontané, souvent irrationnel, qui draine les foules à Lourdes
- et la rationalité pastorale qui a pris en charge ce mouvement.

Comment se présentent ces deux facteurs, et leur interaction ? Tel sera le fil directeur de cette étude.

2

Du côté des pèlerins

L'ATTRAIT ET LES COMPORTEMENTS

1. *Pourquoi vient-on à Lourdes ?*

Et d'abord, pourquoi les pèlerins viennent-ils à Lourdes aujourd'hui ? Question difficile. Journalistes et sociologues l'ont souvent posée au sujet de Taizé, et les plus honnêtes répondent, comme le Prieur lui-même : « Nous ne savons pas pourquoi ils viennent. »

Des enquêtes méthodiques mais sans prétention scientifique, réalisées à l'occasion de tel ou tel pèlerinage (notamment celui du Rosaire ou de l'Armée), ont inventorié les motivations, sans permettre d'en identifier l'importance respective, encore moins de construire un modèle opérationnel...

FACTEURS EXTRA-RELIGIEUX

Il y a bien sûr, des facteurs sociologiques. Le développement du tourisme favorise l'essor des pèlerinages, mais en interférant avec le facteur religieux. Ainsi, par exemple, des paysans qui se seraient fait scrupule de dépenser de l'argent pour un voyage d'agrément ont bonne conscience à s'inscrire au « pèlerinage » où les invite leur curé. Dans maintes provinces du Nord ou de l'Ouest de la France, Lourdes, ce fut longtemps *le* voyage : le seul que beaucoup faisaient durant leur vie[10].

Il y a un facteur géographique : Lourdes se situe en bordure d'un très beau site des Pyrénées, sur des lignes de grande communication que l'afflux des pèlerins de Lourdes a contribué à développer, au carrefour de sept vallées. Cette situation favorable rend difficile et même problématique, le tri entre pèlerins et touristes qui s'arrêtent en ce point de passage obligé, au cours d'un périple dans le sud-ouest.

Arrêtons-nous aux motivations formellement religieuses attestées par les enquêtes signalées.

PRÉSENCE ET TRANSPARENCE

Ce que nous trouvons, au premier plan des témoignages et de l'expérience, c'est un appétit de rencontre avec Dieu, avec l'au-delà, que traduisent ces formules populaires, fréquentes dans les enquêtes :

- *Lourdes, c'est un coin de paradis.*
- *On a l'impression de ne plus être sur terre, etc.*

Le pèlerin se met en route avec la conviction ou l'espoir que le temps clos, le temps cyclique et quotidien débouche sur autre chose. Cela répond à un besoin particulièrement vivant des chrétiens latins, sevrés d'eschatologie.

Chez les orthodoxes, la liturgie est célébrée comme une entrée dans la gloire : l'Eglise est le ciel; le culte, la participation à la liturgie céleste, les chrétiens y font l'expérience de la glorification. Pour la liturgie latine, le ciel est lointain; l'eschatologie, statique. Il y avait une belle exception, inspirée

---

10. Cela explique la forte proportion de ruraux dans les pèlerinages organisés : 32,25 % en 1973, alors que leur proportion dans la population française selon INSE est de 6 %. J. RAMOND, *Lourdes. Pèlerinages 1973. Bilans et graphiques* (non paginé).

de l'Orient : l'entrée solennelle des Rameaux. La foule, massée devant le porche, demandait l'ouverture des portes de l'église. Un chœur angélique dialoguait avec elle, de l'intérieur, jusqu'au moment où le célébrant frappait le battant avec la croix. Alors le portail s'ouvrait. Et la foule entrait dans la demeure de Dieu. Mais ce rite a été supprimé dans la réforme de la Semaine Sainte, réalisée sous Pie XII. La liturgie latine avait compensé la dévaluation de la gloire en valorisant la présence eucharistique, humble et discrète de Jésus sur la terre : « prisonnier de l'Eucharistie », disait-on parfois en termes abusifs.

Cette dévotion à la Présence réelle, surdéveloppée dans l'Eglise catholique, a été battue en brèche en ces dernières années. Les expositions du Saint-Sacrement ont disparu. L'adoration devant le tabernacle est en recul. La foi « en recherche » erre dans le désert de la « mort de Dieu ». Dans ces conditions, le pèlerinage de Lourdes est devenu le refuge des valeurs de rencontre, de présence, de transparence, là où Bernadette a « vu ». La célébration de l'Eucharistie y est vivante et populaire, à la messe comme à la procession du Saint-Sacrement, où le Corps du Christ, voilé sous le signe du pain, est présenté personnellement à chaque malade dans la gloire de l'ostensoir.

A Lourdes, cette présence de l'au-delà prend des colorations propres. La Vierge Marie, apparue à Bernadette, tient une place de premier plan que matérialise la statue du rocher. Bernadette elle-même est perçue comme une image de Marie. Dans l'extase, elle en reflétait les sourires et les tristesses. A un âge sans doute voisin de celui de Notre Dame, elle a reçu (à sa manière) une *annonce* qui était aussi une *vocation*. Elle l'a vécue et rayonnée pour le monde entier. Sa vie cachée est devenue gloire d'une sainteté canonisée. La petite pauvresse dont les pèlerins visitent aujourd'hui le domicile sordide, le cachot, a été promue dans le Royaume. Cette vision de gloire peut se teinter de manière variée selon les cultures : pour les uns, c'est la gloire du Bernin ; pour d'autres, la présence fraternelle d'une sœur de pauvreté dans la Communion des saints. Toujours est-il que la valeur « Bernadette » est en hausse dans le pèlerinage et que la lumière de l'Evangile éclipse celle du triomphalisme d'autrefois.

Lourdes est ainsi un lieu de paix, de repos et de sécurité aussi, pour des chrétiens sevrés par l'intellectualisme critique de la théologie, ou de la liturgie encommissionnée d'aujourd'hui.

2. Régénération et conversion

L'attrait le plus essentiel de Lourdes, c'est aussi un besoin de régénération et de salut, sous deux formes que le peuple ne dissocie pas, comme font les intellectuels : *conversion* et *guérisons* s'articulent diversement selon chacun.

- La conversion — au sens évangélique de *metanoïa* —, c'est l'acte par lequel un pécheur se tourne vers Dieu en se détournant de l'égoïsme qui le replie sur son péché. C'est une régénération de tout l'homme.
- La guérison en est un aspect. Car la puissance de Dieu sauve, non seulement l'âme, mais l'homme tout entier.

Les enquêtes récentes attestent la gratuité, le désintéressement qui affectent cet attrait même. Nombre de malades en sont venus à ne pas demander leur guérison, mais celle de leurs voisins. Ce n'est pas la magie, ce n'est pas la course au miracle qui maintient le rayonnement de Lourdes, c'est un élan chrétien où dominent les valeurs oblatives et le souci de trouver un sens à la vie humaine, dans le présent, l'avenir et l'au-delà.

Le soupçon systématique d'intérêts matériels, de crédulité, d'aliénation, n'atteint que les dégradations ou relâchements d'un attrait religieux conforme à celui que décrivent les

Evangiles et les Actes des Apôtres (cf. *Recherches sur Lourdes*, octobre 1972, n° 40, pp. 186-187).

3. *Voyage et rupture*

L'appel à la conversion qui est au premier plan du message et de la réalité de Lourdes prend corps dans l'attrait même du pèlerinage.

L'invitation au voyage est ressentie comme occasion de rupture avec la condition quotidienne et pécheresse. Cela peut se nuancer de mille manières : nostalgie de divorcés qui se sentent éloignés des sacrements ; de commerçants ou d'hommes d'affaires que la dure nécessité de la lutte pour la vie a engagés dans une jungle inextricable et qui éprouvent le besoin de vivre autre chose. D'autres sont pris dans un cycle de nécessités, de pressions, de respect humain qui étriquent leur vie. L'invitation au voyage-pèlerinage retentit pour eux comme la parole de Dieu à Abraham : « Quitte ton pays et la maison de ton père » (Gn 12, 1).

Le paysan, largement représenté dans les pèlerinages diocésains, abandonne tout, pour un temps, non seulement sa maison, mais sa terre et ses habitudes. Il retrouve la liberté du septième jour. Le cercle des routines est brisé. Le « clos » devient « ouvert » au plan de la vie concrète et de la religion. Maintes aliénations, inhibitions, servitudes, se relâchent, ou disparaissent à Lourdes. L'homme retrouve une disponibilité pour se réorienter à neuf. Et cela débouche sur la conversion selon les paroles entendues par Bernadette : « Priez pour la *conversion* des pécheurs ». Et encore : « *Pénitence* ».

Les signes concrets de Lourdes sont inséparables de la réalité intérieure.

4. *Symboles cosmiques : la terre et l'eau*

Parmi ces signes, on ne peut négliger ceux qui sont inscrits sur le terrain. Lourdes : c'est un paysage, qui parle (spécialement aux gens du Nord, ordinairement noyés dans la brume et le charbon). Dès avant son arrivée en gare, à travers la vitre du chemin de fer, le pèlerin est investi par des images et un climat non moins saisissant que celui des cathédrales gothiques. Ce sont d'abord les montagnes, particulièrement évocatrices de Dieu et de sa grandeur pour les gens de la plaine. C'est le rocher de Massabielle, paroi abrupte, symbole massif de fermeté, de stabilité, de dureté. La niche de l'apparition, où fleurissent des roses, est perçue comme transparence et prolongement mystérieux de ce que vit Bernadette. Dès avant la fin des apparitions (25 mars 1858), le commissaire y trouva « une Vierge en plâtre sur un tapis de velours fleuri » qu'il enleva séance tenante[11], mais qui fut remplacée dès la semaine suivante[12]. Le 4 avril 1864, on y installa solennellement la statue actuelle. Elle avait été sculptée en marbre de Carrare, par le sculpteur Fabisch. Un fabuleux contrat de 10 000 Francs-or, signé entre lui et les donatrices, sous le contrôle des autorités religieuses, lui enjoignait de réaliser un modèle « conforme aux indications » de Bernadette. Il vint l'interroger à Lourdes et lui fit soumettre les photos de sa maquette. Malgré toute la persuasion développée pour la convaincre, elle ne sut pas cacher sa déception[13]. Parce que l'apparition était ineffable, sans doute : on s'en tint longtemps à cette explication officielle. Mais aussi parce que l'artiste avait trahi sa vision : il avait pris des libertés (concernant par exemple la hauteur de la statue, la disposition des roses et des vêtements) et, plus profondément, il avait transposé la

---

11. LHA 6, p. 205, notre 52.
12. LDA 2, p. 29 notes 96-98.
13. LHA 3, p. 140.

vision naïve de Bernadette dans les canons factices de l'art académique[14].

Aujourd'hui, le cadre rocheux, le rosier qu'on a fait refleurir dans la niche de l'apparition, la blancheur de la silhouette mise en valeur par l'éclairage, estompent les défaillances. Le climat de prière et de silence désarme l'esprit critique. Les pèlerins s'agenouillent spontanément, plus facilement qu'ils ne le feraient dans une église. Quelqu'un est là, tout proche, pour ceux qui sont réunis dans la prière..

Le signe du rocher est associé aux signes de l'eau. Les pèlerins aiment la voir jaillir au fond de la Grotte, à travers une vitre qui a récemment remplacé la dalle de ciment. Ils aiment boire et se laver aux « fontaines », où ils recueillent l'eau librement. Ils s'entraident, l'un pressant le bouton à ressort, tandis que l'autre boit, se prêtent gobelet ou gourde. On communie à cette eau, signe de purification, de régénération, de guérison, symbole de la grâce, de la charité, de l'Esprit Saint : « source d'eau jaillissante pour la vie éternelle » dans le cœur du croyant, selon Jean 7, 38-39.

La palette des signes inscrits dans le site de Lourdes se situe de manière significative dans la gamme des quatre éléments : archétypes dont Bachelard a manifesté la permanente actualité mentale et poétique : terre, eau, air, feu. Les deux éléments, les plus subtils, sont les moins représentés à Lourdes. Toutefois, le plein air et la flamme parlent à leur manière. L'apparition à Bernadette fut précédée par un coup de vent. Des cierges furent allumés à la Grotte dès le début de mars 1858[15], et la procession aux flambeaux termine chaque journée de pèlerinage à Lourdes. Mais les signes les plus voyants, ceux qui forment le décor d'hier et d'aujourd'hui,

---

14. LHA 3, p. 137-230, et LDA 7, p. 41-60.
15. LDA 1, p. 227; cf. p. 67 : Graphiques sur le nombre de cierges à la Grotte durant les premiers jours.

ce sont la terre et l'eau, le signe statique et le signe mobile L'un évoque la fermeté de la foi, voire de l'Eglise ou de Dieu : la transcendance. L'autre parle de vie, de régénération, d'espérance dynamique, d'immanence (toujours Jn 7, 38-39).

Le signe de transcendance, le roc, est lié à l'ampleur du massif montagneux à perte de vue; et le signe d'immanence, l'eau souterraine qui sourd au fond de la Grotte, est amplifié par le Gave, au chant discret. Bernadette avait commencé par se diriger vers le cours d'eau qui baignait alors la base du rocher, lorsqu'elle reçut l'invitation : « Allez boire à la fontaine et vous y laver. »

5. *Signe dans l'histoire*

Inscrit dans le site géographique, le site de Lourdes parle aussi d'une histoire qui est entrée dans la mémoire du peuple de Dieu. Le livre d'Henri Lasserre, tiré à plus d'un million d'exemplaires et traduit en des dizaines de langues est le best-seller religieux numéro 1 du XIXᵉ siècle. Et maintes familles chrétiennes lurent chaque année, durant plusieurs générations, le livre d'Estrade, sinon comme un « Evangile » (j'ai entendu toutefois cette expression), du moins comme une *tradition*. Cette geste de Dieu parmi les hommes évoquait, non seulement une transparence du surnaturel, mais des luttes dramatiques et une victoire, celle de Bernadette, seule contre tous : sa famille, qui l'empêchait d'aller à la Grotte, les intellectuels : journalistes et rationalistes, qui la piégèrent avec leur logique terrestre; théologiens avec leurs arguties auxquelles elle savait échapper comme Jeanne d'arc, et surtout les pouvoirs établis : le Commissaire, le Procureur[16] le Préfet, et finalement plusieurs Ministres coalisés contre

---

16. Les interrogatoires de Bernadette sont rapportés chronologiquement dans R. LAURENTIN, *Bernadette vous parle*, Paris, Lethielleux, 1972, 2 volumes (surtout le premier).

l'événement. C'est la victoire d'un tout petit David, sans arme, contre le Goliath administratif avec ses gendarmes et ses soldats. C'est aussi la victoire du peuple de Lourdes. Il avait bravé l'autorisation au temps de la Grotte interdite (juin-octobre 1858). Le garde-champêtre avait dû alors multiplier les procès-verbaux. Mais le tribunal avait acquitté les prévenus contre toute attente, et l'empereur Napoléon III en vacances avait fait enlever les barrières de la Grotte[17].

Bernadette est restée au-dessus de la mêlée : elle déconseillait de braver les barrières et le garde-champêtre. Mais la contestation militante s'est prolongée, de manière souvent discutable, dans les défis de Lourdes à la Libre Pensée ou aux ennemis politiques de l'Eglise du XIXᵉ siècle. Elle s'est résorbée en ces derniers temps. On s'attache aujourd'hui à l'essentiel de l'événement tel qu'il s'est intériorisé dans la vie et la mort de Bernadette et dans le courant de grâces qui se perpétue à Lourdes.

Cette histoire est ressentie de plus en plus comme une résurgence des prémices mêmes de l'Evangile : le baptême de conversion selon Jean-Baptiste, le bonheur annoncé aux pauvres. Dès 1858, le peuple de Lourdes le perçut dans sa ferveur pour Bernadette jusque-là si méprisée. Le 29 mars 1858, avant la fin des apparitions, Antoinette Thardival écrivait à son sujet :

> *Ses parents sont très pauvres... aussi pauvres que l'était Notre Seigneur sur la terre, et c'est sur cette enfant que Marie a jeté les yeux préférablement à tant de jeunes personnes riches qui, dans ce moment, envient le sort de celle qu'elles auraient regardée avec mépris et qui s'estiment heureuses de pouvoir l'embrasser ou lui toucher la main* (Lourdes, documents authentiques, tome 5, p. 77, nᵒ 94 bis: cf. Lourdes. Histoire authentique, tome 6, p. 267-268.)

---

17. Sur cette affaire LDA 4, surtout p. 37-44. L'empereur intervint, sous des influences conjuguées qui lui firent valoir la popularité qu'il s'attirerait en résolvant l'affaire Lourdes. Mais il n'y eut pas de « dépêche électrique » de l'empereur comme l'accrédita la légende.

Et l'évêque de Tarbes, dans le mandement de 1862, où il reconnaît l'authenticité des apparitions, dégage très explicitement la même conclusion en référence à la doctrine de l'apôtre Paul.

> *Quel est l'instrument dont (...) le Tout-Puissant (...) va se servir pour nous communiquer ses desseins de miséricorde ? C'est encore* ce qu'il y a de plus faible selon ce monde *(1 Cor 1, 27)* : une enfant de 14 ans *(...)*, née *(...)* d'une famille pauvre.

L'essentiel du message de Lourdes : pauvreté, prière, conversion, est bien vivant dans le peuple des pèlerins. Ils aiment visiter le cachot, témoin de la pauvreté des Soubirous. Ils viennent pour prier. Ils cherchent, clairement ou obscurément, un changement de vie. Ils retrouvent ainsi les prolégomènes de l'Evangile : ce qu'illustrent Jean-Baptiste et Marie, la messagère de Lourdes. Ce lieu, cet espace de rassemblement, est pour eux le signe d'un retour aux sources et d'un rejaillissement vers l'avenir de la durée chrétienne, selon l'invitation de la Mère de Jésus : « Faites tout ce qu'il vous dira » (Jn. 2, 5).

6. *Prière du corps*

L'histoire des apparitions se prolonge, non dans un simple récit mais dans une tradition vivante. Les pèlerins continuent les gestes improvisés par Bernadette et par les foules de 1858. En ce temps-là, les attitudes de prière étaient guindées. A Lourdes, elles se sont libérées. Ce fut longtemps un des seuls lieux où l'on osait s'exprimer corporellement, prier les bras en croix, se prosterner, etc. L'expression corporelle répond à un besoin. Elle fixe la prière. Elle stabilise l'état de communication fuyant avec le Dieu invisible. L'icône intérieure, qui s'inscrit dans l'activité corporelle est plus saisissante que l'icône extérieure du site. Elles demeurent conjointes. Aujourd'hui encore, les pèlerins, sevrés, non seulement de signes, mais de gestes, par une liturgie qui verbalise et s'intellectualise, aiment trouver à Lourdes cette dimension physique de la prière : déambuler, processionner, se laver, se plonger dans l'eau glacée, porter un cierge, etc.

7. Prière en corps

A Lourdes, les foules ne trouvent pas seulement la prière *du* corps, mais une prière *en corps*.

La communauté temporaire du pèlerinage est rassemblée par le voyage et un attrait commun. Et la prière retrouve, à Lourdes, sa surface portante ; la foi, une atmosphère respirable.

— *A Lourdes, on peut prier sans avoir l'air d'un idiot* (réponse d'un jeune, citée dans « Recherches sur Lourdes » nº 37, janvier 1972, p. 8).

Cette communauté est renforcée, non seulement par le voyage et les activités religieuses, mais par le service des malades, très prenant pour les infirmières et brancardiers : un service gratuit, favorable à l'oubli de soi.

La communauté du pèlerinage est ouverte sur une communauté plus large : *internationale*, image vivante de la « foule immense », innombrable, dont parle l'*Apocalypse* : « de toutes nations, races, peuples et langues » (Apoc. 7, 9). A Lourdes, les pèlerinages organisés sont en majeure partie « étrangers » : 51,4 % en 1970[18] : italiens (largement un tiers), belges, hollandais, irlandais, anglais, allemands, espagnols. Au total (*isolés compris*) un pèlerin sur quatre n'est pas français. C'est aussi un des signes de Lourdes que l'alternance du latin et du français avec diverses langues dans les lectures, invocations,

---

18. Cette proportion s'est légèrement renversée en 1975, en raison du pèlerinage massif des anciens prisonniers et déportés (100 000 personnes). Pour 1976, la crise économique tend à diminuer le nombre des Italiens, mais celui des Allemands et d'autres pays augmente.

homélies et prières. Ce dépaysement stimule le sens de la fraternité et de la catholicité.

Lourdes s'est progressivement ouvert, depuis une vingtaine d'années, à une dimension œcuménique sur laquelle nous reviendrons[19].

8. *La fascinante leçon des malades*

Cette communauté a ses membres souffrants : les malades. Ils sont une icône de la Passion du Christ : ce qu'exprime sur l'esplanade le rassemblement des brancards, des voiturettes, rangées en forme de croix, au pèlerinage du Rosaire et en quelques autres.

La présence des malades rappelle à tous la précarité de la vie, sa brièveté, les menaces qui pèsent sur chacun, l'échéance de la mort biologique qui aura finalement le dernier mot ici-bas. L'enfant souffrant, le paralysé, le grabataire décharné, le handicapé mental, sont un questionnement muet qui atteint le pèlerin dans sa chair et dans son esprit. Ces icônes vivantes et corporelles parlent mieux que mille prédications. Elles brisent l'abstraction d'un culte où les membres du peuple de Dieu restent souvent aussi étrangers les uns aux autres que les clients d'un self-service, agglomérés par les impératifs d'une nécessité matérielle et d'un horaire.

Et surtout, cette présence engage une solidarité de service qui n'a cessé de s'approfondir.

9. *Lourdes et le catholicisme populaire*

A travers toutes ces motivations, nous retrouvons les questions que pose le « catholicisme populaire », ou du moins ce qui en subsiste aujourd'hui.

---

19. Ci-dessous, p. 83-84.

- Pour les uns, il s'agit des débris d'une religion close et aliénante, obstacle fondamental à la naissance d'un authentique christianisme :

> Une approche sérieuse (...) de la religiosité populaire montrerait que la demande de sacré correspond à une vision utilitaire du geste rituel et à une notion vague, intéressée, sécurisante de la Divinité. Nous sommes là aux antipodes du christianisme (L. de Vaucelles, dans Etudes, décembre 1974, p. 750.).

- Pour d'autres, comme Serge Bonnet, qui fonde son diagnostic sur l'étude de milliers de prières spontanées, recueillies dans les lieux de pèlerinages, cet élan populaire est fondamentalement sain, orthodoxe, et même désintéressé : à base d'adoration.

Le fait de Lourdes invite à considérer ce phénomène dans son ambiguïté positive, en renvoyant dos à dos les deux systèmes opposés : celui qui pare la religion populaire de tous les mérites, et celui qui réduit la France à un pays de mission déchristianisé ou jamais christianisé. D'un côté, on idéalise une religion sans foi. De l'autre, on poursuit l'idéal utopique d'une foi sans religion. Nous penserions plutôt que les aspirations de foi s'exténuent à défaut d'actes et de communauté où le lien entre les hommes et Dieu prend corps dans un signe.

Les divergences entre les apologistes du catholicisme populaire nous mettent en garde contre les simplifications.

- Pour J. Fourastié, l'important, c'est le rite programmé au plus profond de l'homme, dans son « paléo-céphale » qui subsiste, comme un fondement ou une racine, sous le « néo-céphale » (les nouvelles manières de penser) selon les formules qu'il emprunte à Mc Lean.

- Pour Robert Pannet, au contraire, le « catholicisme populaire » souvent latent et rémanent, se situe davantage dans les aspirations que dans le ritualisme (articles dans Témoignage chrétien, 26 avril et 17 juin 1974).

Dans le *Bulletin du Centre Lebret*, le sociologue A. Rousseau critique plus radicalement la notion à la mode. Elle lui semble relever du populisme et des méthodes factices qui tendent à récupérer des phénomènes complexes. La défense du catholicisme populaire serait obscurément inspirée par le souci de rassurer le clergé d'ancienne école, aujourd'hui marginalisé par l'évolution de la foi. Comme Nixon aux abois cherchait l'approbation de sa politique dans la « majorité silencieuse », comme certains marxistes postulent a priori « la capacité révolutionnaire du prolétariat », de même les clercs présupposent un reflet fidèle de leurs idées théologiques et pastorales dans l'inconscient des « chrétiens festifs » qui s'ignorent. En fait, la religion populaire est complexe. Elle se compose, non seulement d'éléments chrétiens, mais de couches païennes plus archaïques et peut-être plus profondes, car cette religiosité, dont on vante à juste titre la pérennité, s'enracine, dans des archétypes et coutumes antérieurs au christianisme. Bien des rites du paganisme ont été intégrés, sans être suffisamment baptisés ni réorientés : rites saisonniers, lucernaires, etc. (thème des recherches de Claude Gagnebet, de l'Université de Paris).

Les catholiques « populaires » sont peu réceptifs aux dogmes et normes de la religion officielle. Cette indépendance a été mise en lumière par les sociologues italiens[20] : ni un dogme proclamé dans une sorte d'apothéose comme l'Assomption, ni les proclamations de Marie Reine ou Mère de l'Eglise n'ont eu tellement de prise sur la religion populaire. Pas davantage les entreprises de la démythologisation. Cette distanciation n'est pas un fait nouveau. Les études sur la pratique religieuse en Hollande au XVe siècle, ont manifesté que l'obser-

---

20. Sur l'enquête de L. Pinkus (inachevée), voir R. LAURENTIN, *Bulletin sur la Vierge Marie*, dans *Revue des Sciences philosophiques et théologiques* 58 (1974), p. 301-303 où ses premières conclusions sont rapportées.

vation du précepte dominical était alors des plus faibles[21]. C'était une religion de pèlerinages, de dévotions particulières, de récits merveilleux, de rites sécurisants.

Il faudra encore bien du temps pour qu'on puisse évaluer exactement ce qu'on appelle de manière parfois mythique le « catholicisme populaire », et situer Lourdes sous ce rapport.

Une chose est claire : Lourdes a gardé dans l'opinion un impact considérable. Le nombre de correspondants de presse permanents à Lourdes (près d'une dizaine) et le courant permanent d'articles et de journaux en témoignent. Ces articles manifestent l'impact religieux du pèlerinage : miracles, guérisons, célébrations, etc. Ils manifestent aussi comment la célébrité de ce lieu de pèlerinage, le développement de ses liaisons par voie de terre, de fer et d'air, le développement de son hôtellerie et de ses capacités d'accueil en tous ordres ont fait proliférer, dans cette ville, congrès, festivals et manifestations sportives de haut standig. Lourdes est un lieu où la vitalité de rassemblement et communications variées fait surgir l'événement, la nouvelle, l'initiative, et les questions profondes sur l'*Ultimate Concern*, en liaison avec un lieu géographique repérable et une actualité tangible.

En dépit de la réaction des chapelains contre cette polarisation, la presse associe le plus souvent le nom de Lourdes au mot *miracles*. Si ambigus que soient ce mot et cette corrélation, ils traduisent un phénomène de masse : parmi les merveilles du monde, Lourdes apparaît aux hommes inquiets de l'ère sécularisée, comme un lieu qu'habitent peut-être les mystérieuses merveilles du Dieu.

---

21. J. TOUSSAERT, *Le sentiment religieux en Flandre à la fin du Moyen Age*, Paris, Plon, 1963, 886 p. Sur cet ouvrage, voir *Cahiers marials* 8 (1964, p. 146-150) et R. LAURENTIN, *Bulletin marial*, dans *Revue des Sciences philosophiques et théologiques* 50 (1966), p. 541, note 137.

Ainsi se présente la réalité du pèlerinage, vu du côté des pèlerins et de l'opinion, au niveau de sa réalité concrète et sauvage. Reste à examiner l'autre face de Lourdes : l'action pastorale qui assume le pèlerinage.

3
Une pastorale pilote

La pastorale de Lourdes s'est profondément renouvelée depuis la fin de la dernière guerre mondiale.

C'est alors qu'a commencé un nouvel essor et une évolution grâce auxquels Lourdes joue, depuis lors, un rôle pilote, non seulement pour les autres sanctuaires, mais pour l'Eglise.

A. LES ÉTAPES

Dans cet effort d'épuration, de ressourcement, d'accueil, et d'organisation aussi, on peut discerner deux étapes accomplies sous la direction des deux derniers évêques.

1. *Monseigneur Théas (1946-1970).*

Monseigneur Pierre-Marie Théas a pris le sanctuaire en charge, d'abord comme administrateur du diocèse, en 1946, après sa libération des camps d'internement allemands (Montauban, Toulouse et Compiègne). Il fut évêque de Tarbes et Lourdes, du 17 février 1946 jusqu'au 12 février 1970 (il avait atteint la limite d'âge des 75 ans, le 14 septembre 1969). L'axe de sa pastorale fut la revalorisation de la foi sur tous les terrains :

- D'abord la prière, le recueillement, la qualité du silence; la célébration des sacrements : l'Eucharistie et la Pénitence, inscrits dans le message de Lourdes. Pour la remise en valeur de la confession, il rappela les Pères de Garaison que les lois anti-religieuses avaient écartés du sanctuaire depuis 1903[22]. Il mobilisa, sur ce terrain, le concours d'hommes de valeur tels que l'abbé Georges Guérin, fondateur de la J.O.C. en France; le Père Gerlaud, dominicain, professeur de morale à l'Institut catholique d'Angers, conseiller de l'Action catholique ouvrière, qui assura, chaque été jusqu'à sa mort, un mois de permanence au confessionnal. Il fut vivement frappé par l'importance des conversions dans le message et la réalité de Lourdes. Mgr Théas instaura la nouvelle *Chapelle des confessions* (on dit aujourd'hui *de la Réconciliation*). Pour sa part, il disait parfois : « *Les piscines d'en-haut* » : celles de la régénération sacramentelle; il les rapprochait ainsi des piscines où se baignent les malades.

Mgr Théas eut le souci de *tirer toutes les conséquences de la foi*, sur tous les terrains.

Des épurations, là où il fallait : il dépouilla ce qui encombrait la prière et le site, la physionomie et la réputation de Lourdes. Il fit disparaître maints archaïsmes, particularismes, étroitesses, notamment les relents d'un chauvinisme national. Il instaura l'internationalisation de Lourdes en tous domaines, sans s'effrayer des remous ni des problèmes de langues.

En chaque domaine, il engagea des hommes qualifiés au plus haut niveau. Il soutenait fortement et chaleureusement ceux auxquels il avait confié une mission, sans jamais interférer avec leur compétence, dès lors qu'il l'avait reconnue.

---

22. P. M. Théas, *Les chapelains de Notre-Dame de Lourdes*, dans *Bulletin religieux du diocèse de Tarbes et Lourdes* 28 (1947), n° 46, p. 473-475, explique cette décision, prise après consultation de Pie XII, dont il cite les paroles suivantes : « Pour l'administration de l'Œuvre de la Grotte, gardez les prêtres du diocèse; pour les fonctions de chapelains, faites appel à des religieux » (p. 474). « Les fonctions de recteur, de secrétaire général et d'économe seront toujours exercées par des prêtres du diocèse », décide en conséquence Mgr Théas qui nomme aussitôt le père René Point, MIC, chapelain de Notre-Dame de Lourdes (ib. p. 475).

Il put ainsi réaliser sur le terrain — non sans subir les contre-coups — de grands défis, de grandes utopies, qui ont tout remis sur des bases authentiques et solides. Ces fondations demeurent. Elles ont permis les évolutions ultérieures, et une meilleure solution des problèmes qui ne cessent de surgir en ce temps de mutation accélérée.

1. AU PLAN MÉDICAL, il a réorganisé les procédures de constat des guérisons en fonction des nouvelles exigences scientifiques. A cet effet, dès 1946, il adjoignit au Bureau médical des constatations, fondé en 1882, un *Comité national* qu'il élargit bientôt en *Comité médical international* composé de professeurs de Facultés, appartenant à plus de 7 nations, qui eurent mission de juger les dossiers de guérisons, triés et constitués par le *Bureau médical* de Lourdes. Nous reviendrons plus loin sur cette question (p. 111-112).

2. AU PLAN ESTHÉTIQUE. A partir de 1954, il élimina du domaine de la Grotte laideur et excroissances, avec le concours de M. Vago, architecte. La Grotte était encombrée d'un fatras de constructions adjacentes, tapissée d'ex-voto, béquilles, décorations de toutes sortes, au point qu'on ne la voyait presque plus, protégée de longue date par des grilles. Elle fut rendue à son dépouillement. La sacristie fut résorbée dans la colline. Les disgracieuses piscines disparurent. On en reconstruisit d'autres, en aval, sur un emplacement proche et discret, où le rite d'immersion fut remis en valeur.

La nouvelle basilique, rendue nécessaire à la veille du centenaire, par l'affluence croissante et le souci de ne pas exposer les malades aux intempéries, fut construite, quoiqu'il en coûte, sans enlever rien à l'espace vert du domaine de la prière. C'est ici que Mgr Théas traversa les plus graves difficultés. Le projet était de toute manière raisonnable et proportionné aux ressources, comme la suite le prouva. Mais le public fut impressionné lorsque les fouilles de l'immense basilique souterraine (située au-dessous du niveau du Gave) devinrent un lac dont la résorption paraissait utopique, voire chimérique. Le découvert bancaire survenu alors fut exploité auprès de toutes les instances intéressées, de la presse à la *Commission des cardinaux et archevêques de France*, et surtout à Rome. Mgr Théas perdit, à la veille du centenaire, ses responsabilités financières et faillit même perdre son siège épiscopal. Il ne retrouva ses pouvoirs qu'à l'avènement de Jean XXIII[23]. Pendant la période où il n'avait plus la signature, Mgr Théas réussit à sauver le site de l'autre rive du Gave : cet espace de prairies et de collines boisées qui étaient menacées par des promoteurs. Il put mobiliser des générosités privées et désintéressées pour acheter ces zones de verdure et les maintenir en état.

3. AU PLAN MUSICAL. A la mort du Père Darros, organiste des sanctuaires pendant plus de 50 ans, Mgr Théas consulta l'abbé Lesbordes, docteur en musique sacrée, lauréat de l'*Institut pontifical de musique de Rome*, directeur et maître de chapelle au grand séminaire de Bayonne, spécialiste du chant choral, sur le choix d'une compétence pour renouveler ce secteur. L'abbé Lesbordes donna des noms, mais ajouta en post-scriptum : « Pourquoi pas moi ? ». Mgr Théas qui n'avait osé envisager cette hypothèse, étant donné l'importance des fonctions de l'abbé Lesbordes dans le diocèse voisin, accueillit avec joie cette proposition. Le nouveau

---

23. Les responsabilités économiques furent articulées entre l'*Opus cœnaculi* qui avait l'oreille de Pie XII par sœur Pasqualina, et un évêque auxiliaire, Mgr Maury, qui sut, avec sagesse, éponger la crise que d'autres avaient nouée, et quitter Lourdes, dès 1959, pour l'Afrique, où il joua un rôle décisif pour l'avenir de l'Eglise en ce continent. C'est lui qui proposa et obtint envers et contre tout l'installation de 4 archevêques noirs, dans 4 capitales d'Afrique française. Ce plan exigeait le départ de Mgr Marcel Lefèbvre, archevêque de Dakar, jusque-là délégué apostolique et homme de confiance du Saint-Siège pour l'Afrique.

La crise de 1958 fit saisir, une fois de plus, à quel point Lourdes, comme tout ce qui implique des pouvoirs considérables, notamment financiers, est à la merci d'assauts de toutes sortes.

Quant aux finances, l'expérience prouva que la somme apparemment astronomique de 2 milliards de francs 1958 n'était pas un problème. Et l'un des premiers actes de Mgr Théas, lorsqu'il retrouva sa gestion, fut de supprimer tous les magasins cléricaux, qui avaient fait concurrence aux magasins de la ville, à l'entrée du domaine de la Grotte, pendant le centenaire.

maître de chapelle entra en fonction dès le 15 août 1954, il constitua un répertoire qui eut une large diffusion internationale. A son arrivée, la musique liturgique était tenue dans des limites étroites, notamment par les textes latins de la messe, fixés *ne varietur*. Après sa mort survenue subitement dans la nuit du 28 février au 1er mars 1969, le Père Paul Decha, son assistant depuis 1955, lui succéda, dans le même esprit. Les compositions qu'il a réalisées avec son parolier Jean-Paul Lecot, MIC, organiste de Lourdes, connaissent une large diffusion, en ce temps de créativité ouvert par le Concile. (Interview de P. Decha et J.-P. Lecot, dans *France Ecclesia*, 1976, supplément n° 1528, p. 6).

Mgr Théas favorisa l'instauration du festival de musique religieuse (fondé en 1968, pris en charge par le sanctuaire depuis 1972).

4. DANS LE DOMAINE DES ARTS PLASTIQUES, il accueillit divers projets.

Une exposition : *Lourdes 64*, avait été lancée à Paris pour créer un dialogue avec les artistes, à l'occasion du Centenaire de la statue de la Grotte (que Bernadette n'aimait pas). C'était là un terrain difficile à tous égards, et les données de Bernadette, qui constituaient le thème de cette exposition, ne furent pour certains qu'un prétexte. Il pouvait difficilement en être autrement. Mais les indications qu'avaient fournies Bernadette suscitèrent des œuvres indiscutables : au premier plan, une évocation abstraite de la lumière d'*Aqueró* par Hartung, et une illustration (figurative) limpide de l'apparition à Bernadette, sculptée par Dubos dans une vieille poutre de bois loyal. L'exposition n'alla pas sans remous, à la mesure du fossé qui existe entre l'Eglise et l'art vivant du xxe siècle. Mgr Théas accepta le défi de ce dialogue. Il transporta l'exposition parisienne à Lourdes et la soumit à une consultation des pèlerins, qui prolongèrent ce dialogue. Les deux œuvres signalées plus haut, celles que la critique avait remarquées,

furent aussi celles qui rallièrent les suffrages du public.
(*Recherches sur Lourdes* janvier 1969, n° 9, p. 4-28. Voir aussi
le *Livre blanc de l'exposition*, imprimé à la typographie du
Sanctuaire, en 1965.)

- Mgr Théas encouragea l'instauration de la *Biennale internationale du Gemail d'art sacré*[24], qui conduisit à la fondation
d'un Musée permanent du Gemail dans la ville.

Lourdes est devenu ainsi, entre autres choses, un Centre
d'Art religieux.

5. Celui qui écrit ces pages ne peut oublier que Mg Théas
lui confia, en 1953, la tâche de réaliser, pour l'année mariale
1954, une théologie de Lourdes, qui aboutit au volume *Sens
de Lourdes*[25]. Cette première ébauche, pour laquelle les repères
les plus essentiels furent établis à grand-peine, manifesta
la nécessité d'une révision par la racine de toute l'histoire
de Lourdes. L'entreprise avait de quoi faire peur. Les
documents gisaient, pour la plupart inédits ou inexactement
édités, dans des archives rivales et fermées les unes aux autres,
débordantes de vieux conflits. Entrer dans les unes, c'était
du même coup se fermer les autres. Les fonctionnaires,
de Lourdes, malmenés par « l'affaire » avaient tous eu le réflexe
d'emmener avec eux le dossier administratif, lorsque « l'affaire »
même provoqua leur mutation. Les découvrir, c'était tomber
sous le coup d'un délit de recel. Des correspondances ou
documents privés gisaient encore dans quelques greniers
de province. De plus, Lourdes était alors très attaquée.
le docteur Valot s'était taillé, peu avant le centenaire, un réel

---

24. Ce nouveau développement de l'art du vitrail que G. Prouteau appela un
8e art, consiste en une superposition de lames ou fragments de verre, filés, soudés,
taillés ou émaillés : un art de la lumière, dans lequel on réalise, tantôt des compositions originales, tantôt l'interprétation d'œuvres picturales propres à inspirer
ce mode d'expression (*Recherches sur Lourdes*, juillet 1969, n° 27, p. 123-126;
avril 1975, n° 50, p. 107).

25. *Sens de Lourdes*, Lethielleux, 1955, et le rapport dans les Actes du Congrès.

succès de presse, en éditant un volume contre les guérisons. Sa polémique faisait feu de tout bois, dans la veine passionnelle de l'anticléricalisme d'alors. Les documents, jusque-là inédits, qu'avaient multipliés les opposants de 1858, risquaient de lui donner des armes.

Peu avant l'édition du premier volume de documents (1957), la découverte du Dossier Jacomet (le commissaire de police de Lourdes), retrouvé à l'approche du centenaire, corsa le problème. Les notes du premier interrogatoire de Bernadette contenaient, en finale, une sorte d' « aveu » de la voyante : on la « forçait » à aller à la Grotte (*Lourdes. Documents authentiques*, tome 1, p. 165). L'analyse manifestait qu'il s'agissait d'une feinte du commissaire (Estrade, témoin de l'interrogatoire avait signalé que Jacomet les avait multipliées sans préciser lesquelles). C'est bien de cela qu'il s'agissait, car Jacomet n'avait pas maintenu dans la rédaction au propre, le soi-disant « aveu » qu'il avait rédigé sur le brouillon, d'une étrange écriture grandissante et agitée. Mais que n'allait-on pas tirer d'un pareil document ? Je soumis à Mgr Théas les données du problème qui impliquait ce dilemne : ou bien publier cela, car l'historien ne saurait « cacher » aucun document, ou bien renoncer à écrire une histoire de Lourdes. Mgr Théas n'hésita pas une seconde :

— *Lourdes n'a besoin que de vérité.*

Cette phrase me fut un viatique pour un travail qui allait se prolonger durant plus de 10 ans, et dont la rigueur découragea d'emblée les adversaires, comme Valot le déclara, non sans panache, à la fin du centenaire. Toutes les pièces anti-Lourdes dont il avait préparé une édition étaient présentes à leur date, dans les *Documents authentiques* et elles y prenaient leur sens.

Cette initiative a stimulé, dans nombre de sanctuaires, le souci de faire la lumière sur leurs origines et leur histoire, selon le même principe : édition intégrale, critique et chronologique de tous les documents, y compris ceux que la crainte du scandale ou le souci d'édification tenaient cachés.

Cette reprise de toutes choses par la racine a entraîné un minimum de casse dans l'histoire établie, et pas de rupture. Le bilan fut positif au-delà de toute espérance. Les événements ont pu être établis de manière exacte, plus complète, et surtout vérifiable, selon leur degré de probabilité ou de certitude. Ils ont été datés au jour le jour sur des bases solides et non plus au hasard ou dans la confusion chronologique.

Le contenu de chacune des 18 apparitions a été reconstitué de manière fondée : entreprise qui avait paru longtemps impossible. La progression et le sens même de l'histoire ont été ainsi revalorisés. Des inventions ont été éliminées, dont certaines avaient pris une place courante dans la prédication : les clameurs du diable « Sauve-toi ! Sauve-toi », que Bernadette était censée avoir entendues au bord du Gave durant l'apparition du 19 février, se sont révélées sans fondements (*Lourdes. Histoire authentique*, tome 4, p. 19-20).

Par contre, une foule de faits édifiants a été arrachée à l'oubli, notamment la manière dont l'événement a fait son chemin parmi les pauvres et s'est intériorisé en Bernadette. Les sources cachées d'une édification vraie se sont dégagées : l'histoire de Lourdes, rétablie dans sa vérité, son intégrité, ses proportions, s'inscrit mieux dans l'histoire du Salut, non sans discernement des erreurs et bavures humaines. On est mieux fondé à y discerner une résurgence et une transparence de l'Evangile.

2. *Monseigneur Donze*

Mgr Henri Donze, né à « Notre-Dame de Lourdes »
dans l'archidiocèse de Saint Boniface (Canada), d'abord
évêque de Tulle (après Mgr Lefèbvre), a succédé à Mgr Théas
le 12 février 1970. En cette phase de l'après-Concile, Lourdes
recevait en même temps un nouveau statut, établi par le
Conseil permanent de la *Conférence épiscopale française*,
qui, depuis sa fondation, tient à Lourdes ses Assemblées
plénières : les nouveaux statuts ont pour objet d'intégrer
davantage Lourdes à la collégialité nationale (y compris sur
le plan d'un soutien financier), et d'y promouvoir une participation collective à tous les niveaux, notamment par la
fondation de deux conseils : l'un pour la pastorale, l'autre
pour les affaires temporelles des sanctuaires (Statuts publiés
dans le *Bulletin religieux du diocèse de Tarbes*, 25 juin 1970,
n° 26, p. 122 : ces statuts ont été reconduits avec de légères
modifications en 1975).

Mgr Donze s'est donc attaché à promouvoir la prise en
charge communautaire et coresponsable de Lourdes, selon
la complexité de ses implications et de ses évolutions. Il a
établi des instances nouvelles, et donné des coudées franches
aux instances existantes : chapelains au premier plan. Il
dirige et arbitre un dialogue complexe qui n'a cessé de s'élar-
gir et de s'approfondir après avoir mûri, depuis la fin du
Concile, dans les institutions existantes.

1. LES CHAPELAINS DE LOURDES, qui sont la cheville ouvrière
du labeur pastoral, au contact de la réalité quotidienne, avaient
tenu déjà trois réunions préliminaires (deux en mars et décembre 1969; une le 12 mars 1970), au temps de Mgr Théas.
Ils se réunirent avec Mgr Donze, 9 jours après son arrivée
à Lourdes, le 31 mars de cette même année. Une réunion men-
suelle fut alors établie, pour faire le point, et prendre les

décisions commandées par les problèmes sans cesse renouvelés[26].

2. LE CONSEIL PASTORAL, fondé par Mgr Donze, selon les statuts établis par le Conseil permanent, réunit autour de l'évêque, le recteur, doté par les nouveaux statuts « d'une véritable fonction d'impulsion et de coordination pastorale des sanctuaires », le secrétaire général et l'économe, le supérieur des chapelains; tous les chefs de service : médecin, présidente et président de l'hospitalité, directeurs du Bureau de Presse et de *Recherches sur Lourdes*, etc. ; les représentants des pavillons ouverts à Lourdes durant la saison : de l'*Action catholique* aux *Vocations* en passant par les handicapés, *Pax Christi*, la permanence familiale, et les Centres d'accueil de jeunes; enfin, 4 délégués des directeurs de pèlerinages (dont deux non français), un représentant du diocèse et un représentant de l'épiscopat français. Le Conseil se réunit deux fois par an, à la fin de la saison des pèlerinages, pour un bilan[27] et, en début de saison, pour établir les orientations de l'année. Ce *Conseil pastoral* post-conciliaire a trouvé sa voie et son développement à Lourdes, à l'heure où tant d'autres éclatent, végètent et disparaissent à vitesse accélérée dans les diocèses du monde entier.

3. UNE ASSEMBLÉE ANNUELLE de travail et d'échanges réunit, autour de l'évêque et du recteur, à l'occasion du 11 février, anniversaire de la première apparition, tous ceux qui sont concernés par la marche, l'évolution de Lourdes, selon les circonstances : des délégués de la S.N.C.F., qui achemine chaque année plus d'un million de pèlerins (environ 400 000

---

26. Le *Conseil pastoral de Lourdes*, s'est réuni 10 fois du 16 décembre 1972 au 7 mars 1975. Il est complété par les rencontres annuelles d'un *Conseil pour les affaires temporelles des sanctuaires*.

27. Pour 1975, le père de ROTON a établi un bilan ronéotypé intitulé : *Conseil pour la pastorale de Lourdes : Documents préparatoires en vue de la réunion du 10 décembre* (101 pages).

en 600 trains spéciaux; et 700 000 par trains ordinaires), des représentants des activités hôtelières, commerciales ou autres, concernés par le pèlerinage, etc. On y fixe les thèmes et orientations pastorales de l'année.

4. L'ASSOCIATION DES DIRECTEURS DE PÈLERINAGES, qui tient sa réunion propre en octobre, participe, de longue date, à l'assemblée de février. Selon le nouveau régime d'initiative et de créativité qui la caractérise depuis 1971, elle a fondé deux Commissions, qui s'intéressent aux aspects les plus délicats de la relation ville-pèlerinage : l'une s'occupe de l'hôtellerie, l'autre, du commerce de Lourdes. Le but est de résorber le contraste entre l'espace religieux du domaine de la Grotte, et l'espace séculier de la cité. Ce contraste a été parfois dramatisé de manière outrancière : domaine de Dieu, domaine du diable, a-t-on dit. En fait, les activités du sanctuaire sont humaines, et il a fallu y mettre ordre et lumière. Le commerce de Lourdes, c'est le métier d'hommes qui tiennent à la bonne réputation de leur ville, de leur profession. Nombre d'entre eux sont des chrétiens responsables et des hommes de cœur. Il y a donc des ressources pour promouvoir dans ce commerce, nécessaire aux pèlerins, le souci d'ordre, de justice et de beauté, qui fait son chemin dans les sanctuaires. Dans ce domaine aussi, une conversion est en cours (ci-dessous, p. 101-110).

Conversion permanente à l'Evangile du sanctuaire et des pèlerins qui le fréquentent : tel est le projet ambitieux qui progresse à Lourdes, comme un défi de la foi. Essayons d'en préciser l'axe directeur et les problèmes.

B. L'AXE DIRECTEUR

UNE ÉDUCATION DE LA FOI
POUR UNE CONVERSION DE TOUTE LA VIE.

L'axe majeur, c'est le renouvellement de la foi et de son actualisation dans toute la vie. Il s'agit de promouvoir la conversion personnelle et collective.

Cette orientation implique la conviction qu'il ne faut pas opposer *foi* et *religion*, comme on l'a fait en ces dernières années, mais en retrouver l'articulation. C'est un pari pour porter remède à une dissociation dont les conséquences furent fâcheuses. D'une part, la dégradation d'une « religion sans foi » en rites clos et superficiels, de l'autre la dégénérescence d'une foi qui se voulait pure et périssait faute de prendre corps.

Le propos n'est pas idéologique ni théorique. La pastorale de Lourdes accueille et assume empiriquement les réalités : d'une part, les pèlerins tels qu'ils sont, d'autre part, la foi et l'exigence du Christ et de l'Eglise mis en lumière par le Concile Vatican II.

Il s'agit de mettre en œuvre les ressources existantes pour que la démarche du pèlerinage ne soit pas un alibi, une satisfaction passagère du besoin religieux (une sorte de maison de passe pour ce besoin-là), mais bien la promotion d'un changement effectif de vie.

Cette exigence est inscrite dans le message de Lourdes, qui débouche explicitement sur « la conversion des pécheurs » (apparitions pénitentielles des 24-28 février). C'est aussi une réalité effective : « lettre vivante, inscrite dans les cœurs », selon l'expression de l'apôtre Paul (2 Co 3, 2-3); et cela, dès l'origine. L'abbé Peyramale en fut frappé. Les confidences reçues au confessionnal et ailleurs semblent avoir été un élément décisif de sa conviction, la raison profonde (et refoulée)

de son adhésion rapide et forte. Ce facteur secret et fondamental de la vie de Lourdes laisse peu de traces écrites en
archives, mais il est identifiable, comme la partie cachée d'un
navire ou comme la planète invisible de Leverrier.

— *Lourdes, c'est la conversion*, me disait déjà en 1958, le père
Gerlaud (le moraliste confesseur au sanctuaire cité plus haut).
La pastorale a été progressivement recentrée sur cet essentiel.

Le Message de Lourdes

L'équipe des chapelains s'est donc attachée à une relecture
du Message de Lourdes pour les hommes d'aujourd'hui, à la
lumière du dernier document publié par Paul VI sur la Vierge
Marie, (*Cultus marialis*, 2 février 1974). Leur réflexion est
consignée dans une courte plaquette intitulée : *Message de
Lourdes*[28].

C'est une lecture biblique. Paroles et signes de Lourdes
sont déchiffrés en référence à l'Evangile dont ils ne peuvent
et ne veulent être qu'un rappel. Les révélations privées —
celles de Lourdes y compris — ne prétendent pas, bien au
contraire, compléter le message du Christ, mais seulement
l'actualiser. Lourdes est la résurgence de quelques mots
essentiels, pris aux racines du message évangélique : l'Annon-
ciation et la Visitation, la prédication de Jean-Baptiste, le
message des béatitudes : « Heureux les pauvres. » C'est cela
que les apparitions sont venues rappeler, crier à des oreilles
de sourds en ce XIXᵉ siècle, dont la règle officielle était :
« Enrichissez-vous. »

---

28. 16 pages, éditées à l'Œuvre de la Grotte. Cette plaquette met en lumière,
en référence constante au substrat biblique, les phases du message : 1. La convocation
de Bernadette - 2. Le message intime de conversion - 3. La fondation du pèlerinage -
4. L'identification de la messagère (25 mars).

Catéchèse et formation

Cela commande tout un programme de catéchèse, mais aussi de formation en continuel progrès, selon un programme révisé et actualisé chaque année selon les signes des temps.

Mais Lourdes n'est pas un simple centre de *sessions* (surtout si on prend ce mot selon son étymologie qui signifie statiquement s'asseoir). C'est un pèlerinage, non seulement un lieu où l'on va (où *voyage* et démarche ont un sens) mais où l'on agit, où l'on marche, en procession par exemple, matériellement et spirituellement. C'est un lieu où l'on vient poser des actes concrets, retrouver le fil d'une praxis de la charité.

C. UNE PASTORALE-PILOTE DES SACREMENTS

Ce n'est pas une praxis particulière à Lourdes, c'est d'abord celle du Christ et de l'Eglise. Les sacrements ont très vite pris une place essentielle dans le pèlerinage, qui les a, non seulement retrouvés, mais rénovés au fil de sa vie et de son développement.

L'Eucharistie

L'Eucharistie y a pris très vite une place centrale : comme sacrement de l'unité, nécessaire pour rassembler ces foules, et y instaurer la croissance même du Corps du Christ. Le grand nombre de prêtres, et le contraste flagrant entre la participation massivement communautaire du pèlerinage et les célébrations solitaires de la messe et de la communion firent sentir et ressentir, de longue date, à Lourdes, l'utilité de restaurer la concélébration. Mgr Théas l'avait demandée par deux fois au temps de Pie XII, vers 1947, puis à la veille du Centenaire (1958), sur la base d'une requête établie avec le concours de Mgr Martimort et l'appui du cardinal Ottaviani. La requête fut repoussée de justesse, mais joua un rôle déterminant au Concile Vatican II, qui restaura la concélébration (R. Laurentin, *Bilan de la première session*, Paris, Seuil, 1963, p. 24).

Cette place centrale de l'Eucharistie n'est pas théorique. Une enquête statistique du père J. Ramond a manifesté que là était bien le temps fort dans la vie du pèlerinage. A la question :
— *A quelles cérémonies ou célébrations vont vos préférences ?* c'est la messe internationale qui vient en tête[29], suivie du Chemin de Croix et de la procession du Saint Sacrement.

Cette convergence est significative, car la messe est l'actualisation de l'unique sacrifice de la Croix, dont les pèlerins aiment revivre la mémoire et le cheminement concret sur les pentes de la montagne; et la procession de l'après-midi se présente de plus en plus comme un prolongement de la messe. Elle en manifeste les valeurs d'adoration et de rencontre. Lourdes ne cède pas à la tentation de réduire la richesse polyvalente et débordante de l'Eucharistie à l'étroitesse d'un système théologique, si prestigieux soit-il. Les progrès se réalisent par un ressourcement constant.

Ainsi, l'axe directeur de l'année 1976 a-t-il été : *L'Eucharistie, un peuple rassemblé, transformé, envoyé.* Ces trois derniers mots signifient précisément et concrètement comment l'Eucharistie structure l'Eglise :
— en la convoquant dans le Seigneur;
— en la soumettant à l'action de l'Esprit source à la fois du sacrement et de l'Eglise qui en est la réalisation; une action qui convertit et vivifie de l'intérieur;

---

29. Célébrée chaque mercredi et chaque dimanche à 10 h.

— enfin, en engageant cette Eglise dans sa mission, par le même Esprit, qui est à l'origine de la mission des prophètes et du Christ lui-même[30].

Le sondage cité met en quatrième et cinquième position les cérémonies pénitentielles et l'Onction des malades. Pour la rénovation de ces deux sacrements, Lourdes a joué un rôle pilote.

Renouveau de l'Onction des malades

C'est à Lourdes que fut réalisée dès 1967 la première célébration collective de l'Onction des malades, selon une orientation suggérée par le Concile. Cette initiative, menée en bon ordre, a obtenu les autorisations de Rome. Elles ont été données, tout d'abord à titre d'expérience, puis, de manière définitive. L'usage s'en est largement répandu[31]. Il a contribué à briser l'idée invétérée qui faisait de ce sacrement l'*Extrême-Onction* : le dernier geste à faire, quand vient le coma, et qu'il n'y a plus d'espoir de survie terrestre.

En 1970, le cardinal Feltin, 88 ans, avait pris rang parmi les vieillards qui reçurent le sacrement des malades à la basilique saint Pie X, des mains du cardinal Martin.

La pratique établie à Lourdes a été avalisée dans l'Eglise.

---

30. L'allocution d'ouverture de Mgr Donze, et l'exposé de M. Dagras sur ce thème sont publiés dans *Recherches sur Lourdes*, avril 1976, n° 54, p. 55-78.

31. G. BRISACIER, *Recherche pastorale vers une célébration communautaire de l'Onction des malades*, dans *Recherches sur Lourdes*, octobre 1968, n° 24, p. 179-185, et chroniques ultérieures, ib., octobre 1969, n° 28, p. 185-186; avril 1972, n° 38, p. 46-47 : rapport de H. Joulia.

Pénitence communautaire
avec absolution collective[32]

Lourdes a frayé la voie à l'instauration de l'absolution collective, au lendemain du Concile.

De longue date, l'affluence au confessionnal posait des problèmes insolubles, car les pèlerins désiraient communier, dès le début du pèlerinage, et il était impossible de faire face à l'affluence au confessionnal. Les premières autorisations furent données en 1974. Elles ont fait école assez largement pour que Rome mette en garde contre une expansion précipitée[33]. La progression s'est ainsi réalisée lentement, graduellement, mais irréversiblement, selon le vœu formulé par le troisième Synode en 1971[34].

L'absolution collective n'a pas été répandue au détriment de la confession privée. A chaque réconciliation communautaire, la nécessité de la rencontre personnelle avec un prêtre est rappelée en des termes non stéréotypés dont le schéma est ainsi suggéré par le *Livret du Pèlerinage* (édité à Lourdes en 1975, p. 8) :

> *Le pardon que vous allez recevoir est un vrai pardon, entier, définitif. Mais dans les situations de fautes graves, l'Eglise maternelle ne veut pas vous laisser regarder l'avenir seul. Vous irez donc, dès que vous en aurez l'occasion, voir un prêtre pour aider les remises en route, assurer les réparations nécessaires, faciliter la persévérance* (Livret de la réconciliation).

32. Rapport du Père Fernand BARRAQUÉ, *Lourdes et la réconciliation*, dans *Recherches sur Lourdes*, janvier 1975, n° 49, p. 10-19.

33. Rome fut alerté par un titre du journal *La Croix* sur le pèlerinage du Rosaire : *40 000 pèlerins ont reçu l'absolution collective devant 400 prêtres*. Ce titre de choc donnait à penser que les 400 prêtres auraient pu faire face à 40 000 confessions. La réalité était plus complexe. Et les confessions n'avaient pas été négligées. Un des problèmes à résoudre, c'était l'affluence et l'attente indéfinie des pèlerins qui désiraient se confesser au début du pèlerinage pour pouvoir communier, etc.

34. Le troisième Synode avait successivement ouvert et refermé une porte qui restait entrebâillée après le dernier amendement (R. LAURENTIN, *Bilan du Troisième Synode*, Paris, Seuil, 1972, p. 166).

A chaque célébration communautaire, la fonction complémentaire de la célébration personnelle est rappelée. Elle est florissante à Lourdes, où des confessionnaux d'un nouveau type (box avec isolement acoustique et possibilité pour le pénitent d'être assis ou à genoux) ont été prévus, mais en gardant les confessionnaux traditionnels pour ceux qui préfèrent l'ombre et l'incognito[35].

Toute cette pastorale a pour objet, non pas un simple aménagement juridique et technique des rites, mais la célébration de ce don de l'Esprit Saint qu'est la libre conversion et la réconciliation, selon sa double dimension personnelle et communautaire. C'est dans cet esprit que la *chapelle des confessions* s'appelle depuis 1974 : *chapelle de la réconciliation.*

D. RÉNOVATION EFFECTIVE
DE LA VIE PERSONNELLE ET COLLECTIVE

A Lourdes, on se préoccupe de donner aux sacrements et aux autres signes sur lesquels nous reviendrons, leur vocation chrétienne, leur sens. Car le propre du rite chrétien, selon l'esprit du Christ et déjà des prophètes, c'est qu'il n'est pas une fin, mais un point de passage, le principe d'une conversion qui transforme l'homme et la communauté. La création, établie pour être le signe du retour de l'homme à Dieu a été perturbée par le péché. Et c'est ainsi qu'il faut des signes particuliers, bénis, sacrés, pour réamorcer le mouvement de retour à Dieu dans le cœur de l'homme et, à partir de là, dans la création tout entière. Les signes chrétiens ne sont pas de simples rites consolateurs, ils ont pour vocation de réaliser ce qu'ils signifient, au sens fort et traditionnel où la réalité *(res)* du sacrement, c'est la réalisation de la grâce, l'accomplissement de la vie de Dieu dans toute la vie humaine.

---

35. Dans les box, le pénitent a le choix entre une chaise et un prie-Dieu.

Cela présuppose de rendre aux signes leur authenticité de geste humain, leur ampleur, leur adaptation, leur sobriété aussi. De longue date, on y veille à Lourdes. On a découragé, par exemple, l'usage de brandir les cierges pendant la procession du soir en gestes rythmés. Outre les risques d'incendie, on évite ainsi un débordement sentimental qui risquerait de détendre le ressort nécessaire pour aller au-delà d'une démarche d'un soir. On s'attache de mille manières à ce que le pèlerin isolé ne glisse pas vers l'interprétation magique des signes, mais en use pour entrer dans une rénovation concrète et durable. Le pèlerinage n'est pas un marathon de prières où la *multitudo verborum* (Mt 6,7) donnerait une satisfaction du devoir accompli, qui serait un point final. A Lourdes, la prière ménage des temps de silence. Elle est articulée avec des temps de catéchèse, formation, réflexion, échanges.

L'aménagement des signes eux-mêmes et des formes concrètes n'est qu'un moyen destiné à mieux assurer la finalité. Il s'agit que le pèlerinage débouche dans un engagement de toute la vie.

L'après-pèlerinage

De longue date, les pèlerinages diocésains ont orienté l'engagement dans le sens de l'Action catholique. Celle-ci a établi une permanence à Lourdes depuis le Centenaire de 1958. Le *Pavillon du Lac* pris en charge par les permanents de l'A.C.O., de l'A.C.E., de l'A.C.I. et des Mouvements de jeunesse de ces mêmes milieux.

Ce pavillon a été instauré comme un lieu non de propagande, mais de dialogue et de formation, conformément à des directives données par Pie XII à la fin de son pontificat.

Les directeurs de pèlerinages travaillent, depuis lors en ce sens. Lourdes bénéficie donc, sur ce terrain, d'une longue maturation. L'effort actuel porte essentiellement sur deux points complémentaires : la préparation du pèlerinage, et surtout *l'après-pèlerinage*, suivant une formule souvent employée par Mgr Donze.

Pour les malades eux-mêmes, le pèlerinage n'est pas seulement un temps de prière, de consolation et d'espérance, et pour certains de guérison. Il tend à réaliser leur insertion *durable* dans la communauté des bien-portants, à partir des liens créés à cette occasion. C'est à Lourdes que la *Fraternité catholique des malades et handicapés* a trouvé sa dimension internationale. Nous verrons plus loin (p. 79) le rôle qu'a joué sur ce point *l'Office des handicapés*.

Dans cette même ligne, le pèlerinage du *Renouveau charismatique* (Pentecôte 1976) a pris l'initiative d'ajouter au service technique auprès des malades (médecins, infirmières), une assistance et animation spirituelle personnalisée qui a commencé dans les trains.

Le sanctuaire et la ville

Cette pastorale ne traite pas les pèlerins comme une simple clientèle que l'on canaliserait dans une machinerie spirituelle, analogue aux « machines célibataires », qui sont un des horribles mythes du surréalisme.

Le sanctuaire ne s'est pas considéré comme dispensé de réforme et de conversion, du fait de son caractère sacré. Il donne l'exemple d'une révision permanente qui n'a cessé de s'approfondir depuis le lendemain de la dernière guerre mondiale. C'est là un test de son sérieux. Le souci de faire passer toute la foi dans toute la vie ne se limite pas aux pèlerins et aux sanctuaires. Une des prises de conscience marquantes de ces dernières années, c'est que Lourdes est aussi une ville qui s'est développée. Ses activités hôtelières et commerciales ont grandi selon les besoins des pèlerins. Elles ne sont pas un accident ou une excroissance. Qu'on le veuille ou non, elles ont partie liée avec le sanctuaire. Et ce compagnonnage a été accepté.

On revient de loin, car le rapport ville-sanctuaire fut des plus tendus (ce mot est un euphémisme) dès la deuxième décennie du pèlerinage, et le resta jusqu'à la deuxième guerre mondiale.

Les archives prolifèrent là-dessus, à la mesure des passions qui sévirent. Le sanctuaire, qui vivait sa vie propre : celle de la prière, des conversions, des guérisons, avait peu de sympathie, on le comprend, pour toutes les formes de commerce qui s'aggloméraient, à la manière de sangsues, le long de l'unique chemin qui conduisait de la ville à la Grotte.

De leur côté, les commerçants vivaient en état de défense contre le sanctuaire et sa puissance. On y voyait un redoutable concurrent, maître du meilleur point de vente[36] dans la mesure où il vendait, ne serait-ce que des cierges. On redoutait ses plans d'aménagement, susceptibles de changer tout l'équilibre commercial de la ville. En 1877, la construction du nouveau pont, voulu par le père Sempé, afin de procurer au pèlerinage un accès plus direct de la gare à la Grotte, fut ressenti par les commerçants comme une mortelle agression, comme un cataclysme. On ne se serait pas ému davantage si le Béout s'était transformé en volcan ! (J.-B. Courtin, *L'œuvre de la Grotte et l'urbanisme dans la cité de Lourdes, de 1862 à 1903*, Lourdes 1946, 24 p.). Henri Lasserre, écrivain en rupture avec les administrateurs du sanctuaire se fit, de 1869 au début du siècle, l'écho des récriminations de la ville contre le sanc-

---

36. La caricature antisémite et anticléricale a sévi en ce sens. Une caricature de l'assiette au beurre, 29 août 1901, n° 22, met en scène un gros curé, onctueux, le bréviaire à la main, en dialogue avec un maigre juif vendant des chapelets sur le chemin des pèlerins. Légende :
- *Eh bien, père Abraham, ça marche votre petit commerce ?*
- *Pas si bien que le vôtre, M'sieu l'abbé !*

tuaire. Cette tension ville-sanctuaire était aggravée par une tension avec la paroisse. Peyramale, fondateur du pèlerinage qu'il avait dirigé jusqu'en 1866, avait été évincé, lorsqu'on avait confié Lourdes aux missionnaires de l'Immaculée Conception. Il supportait cette éviction dignement, mais non sans amertume. Et les plaintes de ses paroissiens contre les Pères entretenaient son déchirement.

De cet antagonisme on passa progressivement — par vertu et patience— à une ignorance mutuelle : le sanctuaire vivait sa liturgie, et la ville ses affaires séculières. La séparation était illusoire. On voulait s'ignorer pour ne pas se heurter.

La symbiose était partout. Les exigences de certains directeurs de pèlerinages, soucieux d'assurer à leurs pèlerins les prix les plus bas, aggravaient la loi de la jungle et ne favorisaient pas le développement sain et normal de l'industrie hôtelière. Les situations anormales s'y multipliaient d'autant plus facilement que les employés saisonniers sont mal placés pour défendre leurs intérêts, là et ailleurs. Des séminaristes, prêtres et sœurs de la Mission de France firent l'expérience de cette situation-là.

Le dialogue pastoral de Lourdes s'est étendu à l'hôtellerie : immense industrie à l'échelle de centaines d'hôtels. Au tout début des années 1970, le curé de Lourdes, désormais partie prenante dans le conseil pastoral, prit conscience de la situation, souvent déplorable des 5.000 employés d'hôtellerie : basques, espagnols, etc. : « les soutiers de Lourdes », mal logés, mal payés, sans horaires déterminés ni convention collective, et souvent sans qualification. « De Lourdes, le pèlerin sort anobli, les travailleurs lourdais avilis », disait-il devant cette situation déshumanisée. Il appliquait à l'industrie hôtelière ces paroles de Pie XI sur l'industrie lourde : *La matière sort de l'usine anoblie, l'homme avili.* Il alerta quelques hôteliers chrétiens, qui avaient des postes de responsabilité dans le syndicat de l'hôtellerie lourdaise. Un dialogue se noua, avec les employés d'hôtellerie, qui constituèrent leur syndicat, et avec les directeurs de pèlerinages lors de la réunion annuelle de février, pour une révision en profondeur. Le processus aboutit à la signature d'une convention collective par quatre syndicats, en 1971. Sauf quelques cas particuliers, à Paris, c'était le premier accord de ce genre. Il a fait école en France (*Recherches sur Lourdes*, avril 1971, n° 38, p. 38-39 et renseignements privés).

Nous verrons plus loin comment un dialogue du même type tente de remédier à la situation du *commerce* à Lourdes.

Bref, l'élan religieux ne tourne pas en rond dans le rite consolateur. Il atteint les relations humaines où doivent se réaliser cette justice et cette charité que Dieu habite.

4

Articulation
de la religion populaire
et de la pastorale

La créativité dont fait preuve la pastorale de Lourdes n'a pas le caractère d'une projection utopique. Son ressort profond, ce qui la rend exemplaire, c'est sa dimension d'accueil.

Si donc nous avons envisagé successivement la face populaire, puis l'action pastorale du pèlerinage, il y aurait artifice à en rester là. On dissocierait ce qui est corrélatif. Or cette corrélation est l'essentiel en même temps que le secret de la pastorale de Lourdes : d'où l'importance de considérer, pour finir, cette interaction même : comment les requêtes et mouvements du peuple de Dieu sont accueillis à Lourdes.

A. L'ESCALADE DE L'ACCUEIL

Le trait le plus frappant de la pastorale de Lourdes, c'est une escalade de l'accueil, qu'il nous faut considérer à partir des innovations les plus frappantes.

La demande est surabondante, incessante, hétéroclite, multipliée par les projets que Lourdes inspire, et aussi par les moyens que ce sanctuaire offre pour les réaliser : facilité d'accès, espace, équipements, etc.

Au lendemain de la dernière guerre mondiale, Lourdes fut, pour les prisonniers et déportés, le lieu d'une rencontre de prière et d'échanges qui se renouvela, 30 ans plus tard, en 1975, à l'échelle de plus de 100.000 pèlerins.

Des militaires et des charismatiques

Le pèlerinage militaire, dont le principe paraît choquant, à l'heure où la mutation qualitative de la guerre suscite l'objection de conscience, fut également inspiré par les possibilités matérielles et spirituelles de Lourdes. Ce pèlerinage n'est pas une manifestation militariste. Il prolonge une initiative audacieuse de 1958 : rassembler dans une même prière et fraternité chrétienne les soldats des nations ennemies qui s'entretuèrent jusqu'à la dernière guerre. La communion sans ombre de ces uniformes qui s'étaient longtemps pris pour cible prend donc le sens d'un engagement de paix, à l'échelle de 25 nations dès 1964. Le succès d'une enquête lancée par le directeur de ce pèlerinage le 15 mars 1967 : 28.652 réponses sur 50 000 circulaires envoyées, manifeste la qualité de la participation.

A la Pentecôte 1976, Lourdes a été choisie par le *Renouveau charismatique* pour sa première rencontre européenne, 9 ans après la naissance de ce Mouvement, 4 ans après son arrivée en France. Les possibilités matérielles d'accueil n'ont pas été la cause déterminante de ce choix, car le Renouveau s'accommode facilement de conditions précaires et d'improvisation; de plus il a son foyer de rencontres habituel à Paray Le Monial. L'attrait exercé par Lourdes tenait à des affinités, à des complémentarités, à des convergences : prières et charismes, guérisons (nous y reviendrons), enfin l'attrait de la Vierge Marie, que la branche catholique du Pentecôtisme tend à redécouvrir dans l'Ecriture même, notamment dans les textes où elle est mise en rapport avec l'Esprit Saint (Lc 1, 35 et Act 1, 14), dans la ligne indiquée par le Concile. Ce pèlerinage fit problème pour certains leaders[37], car ce Mouvement, dont l'inspiration est d'origine protestante est ouvert, de l'intérieur, à l'œcuménisme.

Proposer aux Protestants l'épreuve de la Vierge Marie après celle du pape à la Pentecôte précédente, c'était trop selon certains leaders. Du point de vue de Lourdes, qui est l'objet de cette étude, le pèlerinage du *Renouveau charismatique* apportait un sang neuf : jeunesse (car la proportion de jeunes y était très forte), animation à base de communion profonde, s'exprimant par gestes et chants communs, alors que la plupart des pèlerinages amènent une clientèle assez hétérogène où il y a tout à faire pour établir une vie communautaire. L'animation personnalisée de la cérémonie d'Onction des malades (dialogue avec des prêtres passant parmi eux, imposition des mains, etc.) trouva là de nouvelles dimensions.

Nouveaux pèlerinages, nouveaux défis

Le plus frappant, c'est la création, en ces deux dernières décennies, de pèlerinages d'un type nouveau dont chacun appelle la solution de problèmes neufs et parfois de véritables défis :

37. Le problème fut d'autant plus vivement ressenti qu'une importante rencontre œcuménique sur l'Esprit avait été proposée, à la même date, du côté protestant. Du moins, le souci d'œcuménisme n'a-t-il pas été absent du pèlerinage de Pentecôte 76, où vinrent une cinquantaine d'anglicans et quelques protestants, mais peu nombreux, et présents à titre personnel et non au titre de leur Eglise.
Selon les leaders opposants (qui ne vinrent pas à Lourdes), le pèlerinage à Lourdes était prématuré. Ils souhaitaient attendre le progrès d'une double évolution : celle du Renouveau, celle du sanctuaire lui-même, dont le périodique officiel notait encore l'existence d'inscriptions propres à faire sursauter un protestant, sans nulle nécessité de conviction catholique (M. M. OLIVE, *Journal de la Grotte de Lourdes*, 18 janvier 1976, n° 2, p. 8).
Ce pèlerinage, discutable et discuté du côté charismatique fut très positif, du point de vue de Lourdes, par tout ce qu'il apportait, notamment en ce qui concerne la prière, la formation, l'accompagnement spirituel des malades. Ceux qui vinrent apprécièrent la qualité de Lourdes, comme lieu de ressourcement intérieur et catholique.

- le pèlerinage des aveugles (3 000 pèlerins lors de sa fondation les 24-26 juillet 1946) a suscité une organisation spirituelle spécifique, à base auditive.

- la pèlerinage des polios, inauguré en 1963, renouvelé en 1968, puis en septembre 1973 amène à Lourdes jusqu'aux malades asservis à des poumons d'acier. Leur transport de l'hôpital au train et aux salles hospitalières de Lourdes et à la Grotte a nécessité des prouesses techniques sans précédent, une épreuve bénéfique du matériel et du personnel : un peu comme le défi gratuit (et infiniment plus coûteux) du voyage dans la lune, a été un test et une source de progrès humain et scientifique dont il faut reconnaître le caractère stimulant, même si l'on regrette que de tels investissements n'aient pas été faits au profit de besoins humains plus immédiats et plus criants.

- Plus récemment (Pâques 1971), ce furent les premiers pèlerinages pour handicapés mentaux : *Foi et lumière*, animés par Jean Vanier. Ils étaient au nombre de 4 000, dont 500 sortirent pour la circonstance des hôpitaux psychiatriques. L'un d'eux, venu du Canada, n'avait jamais vu le monde extérieur depuis 1917 ! Ce fut pour lui une révélation et un bonheur. Le projet n'alla pas sans difficulté ni sans panique. En ville, des commerçants fermèrent leur rideau de fer à l'arrivée du pèlerinage. Les « aliénés » n'allaient-ils pas tout casser ? Et puis la coopération s'établit de proche en proche. Dans les hôtels, le personnel entra dans le jeu, mobilisa des jouets pour les enfants, etc. Les cérémonies — des fêtes très simples — avaient été faites sur mesure pour ces pèlerins d'un nouveau type. Le principal bénéfice a été *la guérison de la relation entre le handicapé mental et les autres hommes*, raidis à son égard — à commencer par sa famille — avec d'heureuses conséquences physiques et psychiques pour tous : les 4 000 handicapés mentaux, et les 8 000 qui les encadraient. Les assurances « tous risques », prises pour la circonstance, n'eurent à couvrir que les dégats accidentels causés par trois pèlerins... qui n'étaient pas parmi les handicapés mentaux. L'important, c'est que les relations créées par le pèlerinage continuent, dans 30 départements français et à l'étranger, où se sont multipliés les groupes *Foi et Lumière*. A Lourdes même, l'*Office chrétien des handicapés* reçoit chaque année plus de 2 000 visiteurs qui viennent y demander conseil.

Les parents des handicapés ont été arrachés, par les rassemblements de Lourdes, à leur solitude inquiète, en rencontrant ceux qui assument la même épreuve, dans la ligne d'*Isaïe 53*.

L'accueil de Lourdes s'est élargi, au-delà des malades, à des groupes humains qui souffrent, à divers degrés, de situations marginales.

Le pèlerinage des gitans, créé malgré certaines oppositions des populations et divers problèmes de sécurité, apporte à ce peuple nomade, objet de méfiance, l'accueil et le soutien de l'Eglise en même temps qu'un ressourcement spirituel.

Permanences d'Eglise

Lourdes offre aussi une hospitalité permanente aux représentants de diverses formes de vie et d'action apostolique dans l'Eglise.

De ce côté aussi, les demandes sont nombreuses, car les grands rassemblements humains de toutes sortes, qu'il s'agisse de fêtes, de foires, de meetings politiques ou professionnels attirent, comme occasion de rencontre, mais aussi de propagande, de quête. Lourdes aurait donc pu se défendre contre ces installations « étrangères », en écartant ce risque de concurrence spirituelle ou matérielle.

En fait, l'accueil a prévalu, moyennant un tri et une articulation. L'espace du domaine de la Grotte a été ouvert aux

« pavillons », et les permanents de plusieurs d'entre eux sont logés par le sanctuaire même, qui a développé ses capacités d'hébergement à cet effet.

Nous ne nous arrêterons pas à détailler la liste des pavillons[38]. Elle reflète le caractère fortuit des initiatives, et leur diversité qui a pour commun dénominateur, l'attrait d'un lieu de foi (Union Eucharistique, Mouvement Eucharistique des jeunes, Vocations), d'un lieu « marial » (Légion de Marie), souci pastoral de répondre aux besoins de ceux qui affluent à Lourdes pour y réorienter leur vie (Permanence familiale, Office chrétien des handicapés, Pavillon du Lac, enfin Vie montante : un Mouvement pour le troisième âge).

De longue date, un Pavillon missionnaire s'est installé pour sensibiliser les pèlerins à cette dimension essentielle de l'Eglise qu'est l'Evangélisation.

Les isolés

Une autre face de l'accueil concerne ceux qui viennent à Lourdes sans rien demander, au hasard d'une route passagère,

---

38. La liste des pavillons est clairement rassemblée dans le Bilan de M. de ROTON, *Conseil pour la pastorale de Lourdes. Documents préparatoires en vue de la réunion du 10 décembre 1975* :
- Action catholique générale (ACG)
- Légion de Marie
- Mouvement eucharistique des jeunes (MEJ)
- Office chrétien des handicapés (OCH)
- Permanence familiale
- Pavillon du Lac (Action catholique)
- Pavillon missionnaire
- Pavillon Notre-Dame
- Pax Christi
- SOS (Secours catholique)
- Jeunes
- Union Eucharistique
- Vie montante
- Vocations

en curieux attirés par la célébrité du lieu, mais poussés aussi par quelque interrogation profonde et secrète.

C'est là un phénomène à grande échelle, comme l'ont manifesté les statistiques[39].

En 1975, les pèlerinages *organisés* formaient beaucoup moins du quart des visiteurs de Lourdes : 664 997 sur les 3 593 000 visiteurs. Si l'on déduit encore les 400 000 qui viennent pour affaire sans passer à la Grotte, un fait massif s'impose : plus de 2 millions d'*isolés* fréquentent Lourdes, comme on visite un monument, un site, une fête. La pastorale de Lourdes veut donner à cette question une réponse : une information, un visage et un climat et un cadre.

Des hôtesses orientent ceux qui arrivent vers différents points de dialogue, selon l'âge et les préoccupations. Un *Centre de pastorale familiale* offre écoute et conseil au niveau des fiancés et des gens mariés. Nombre d'isolés (environ une centaine de mille par an) s'agglomèrent avec des Pèlerinages organisés.

D'autres sont pris en charge par petits groupes (335 000).

Enfin, la formule *Pèlerins d'un jour*, fondée par le Père Point, en 1967, après une expérience de 15 jours menée par la Légion de Marie, rassemble les isolés pour les aider à vivre le message de Lourdes : prière, conversion. La journée comporte notamment le Chemin de Croix, la Messe et la procession aux flambeaux, avec des temps d'échange, de conseil, de catéchèse et formation. Cette organisation, qui fonctionne chaque jour, du 1er juillet au 30 septembre connaît un succès croissant. En 1975, elle a pris en charge 95 944 pèlerins dont 56 508 pour le secteur français, grâce au labeur de 51 animateurs et 28 prêtres[40]. Des lieux d'accueil ont été établis et renouvelés au fur et à mesure des besoins.

---

39. J. RAMOND, dans *France-Ecclesia*, n° 1528, 1976, p. 18-19.
40. M. de ROTON (Rapport cité deux notes plus haut), p. 55.

Priorité jeunesse[41]

Cette pastorale accorde une priorité à la jeunesse, qui faisait l'objet de la dernière et plus importante section du bilan 1975, dressé par le Père de Roton.

Un fait massif est là : 300 000 jeunes passent à Lourdes chaque année, numériquement pas moins qu'à Taizé : 120 000 dans les pèlerinages organisés (où ils forment une minorité d'environ 12 %), et 180 000 en dehors de toute organisation. Ils n'avaient pas leur place à Lourdes. Le sanctuaire y a pourvu. Matériellement, un camping de 16 hectares leur est maintenant ouvert. Spirituellement, diverses formules leur sont proposées : accueil-jeunes sur l'esplanade, accueil des « 10-15 ans », des « 15-17 ans » etc. dans les rotondes de la prairie. Ces points de rencontre sont pris en charge par des équipes de jeunes animateurs qui se succèdent, tous les 15 jours, durant les mois de juillet et d'août. Une équipe responsable est chargée d'assurer une coordination entre « jeunes isolés » et « jeunes

41. *Recherches sur Lourdes,* janvier 1972, n° 37, p. 30-40.
Les jeunes sont revenus au programme de 7 des 10 dernières réunions du *Conseil pastoral de Lourdes,* dont voici d'ailleurs les thèmes significatifs :
1. (16 décembre 1970) : Isolés; Foi et vie; Message de Lourdes; Programme de travail.
2. (1er avril 1971) : Musée Notre-Dame; Prière à Lourdes; Bureau de presse; Point de rencontre des jeunes; Directoire des pèlerinages.
3. (14 décembre 1971) : Pastorale évangélique et mariale; Point de rencontre pour les jeunes; Centre d'accueil pour les malades; Foi et vie; Internationalisation de la pastorale.
4. (18 avril 1972) : Isolés et groupes; Silence à la Grotte; Foi et vie; Centre pour malades.
5. (29 novembre 1972) : Service porte ouverte; Jeunes isolés; Centre pour malades.
6. (5 avril 1973) : Coordination pastorale; Journée de l'hospitalité; Centre d'accueil pour les malades; Pèlerinage comme démarche d'espérance; Pèlerins d'un jour.
7. (20 novembre 1973) : Jeunes isolés; Internationalisation; Année Sainte; Pastorale des jeunes.
8. (28 mars 1974) : Année Sainte; Réconciliation; Pèlerins d'un jour; Pastorale des ensembles et des jeunes.
9. Réconciliation; Absolution collective; Pastorale d'ensemble et des jeunes.
10. (7 mars 1975) : Orientations pastorales; Renouveau; Silence à la Grotte; Malades; Audio-visuel; Permanence pour l'accueil des jeunes; Rôle des laïcs dans la préparation et l'animation des pèlerinages.
Voir le Bilan intitulé « *Jeunes 1975* » *à Lourdes,* dans *Recherches sur Lourdes,* octobre 1975, n° 52, p. 205-208, et le dossier *Les jeunes à Lourdes,* ib. janvier 1977, n° 57, p. 17-28.

des pèlerinages », avec le double souci de répondre aux besoins spécifiques de cette couche d'âges, mais aussi d'assurer leur participation aux démarches communes de tous les pèlerins.

C'est au début de l'année 1970 que le Père Jouandet, MIC, pionnier en ce domaine, a commencé à former une « équipe coordinatrice » de la pastorale des jeunes. Chaque hiver, elle prépare la session d'été, durant laquelle les équipes se succèdent (une dans chacun des cinq points d'accueil). Elles sont formées chacune de 4 à 6 animateurs qui se renouvellent de 15 en 15 jours, avec un minimum de permanents.

Fait nouveau : la participation des jeunes au service des malades augmente dans des proportions considérables : 60 % de jeunes dans l'une des hospitalités diocésaines (brancardiers, infirmières); 30 % en moyenne; 20 a 30 000 chaque année. L'hospitalité de Lourdes, qui avait semblé vieillir et se scléroser, rajeunit. Elle accueille des jeunes en recherche de foi, qui viennent, attirés par cette possibilité d'un service gratuit. L'accueil qui canalise dans cette direction (une des six qui s'offrent au jeunes) manifeste une particulière capacité d'intégration.

Lourdes assume ainsi une fonction importante dans une société où le fossé des générations s'est creusé, où les jeunes se sentent observés avec défiance ou méfiance, voire traqués : les services de police ou de douane polarisent leurs contrôles sur cette génération, surtout ceux qui ont les cheveux longs ou une tenue non conformiste. Le domaine de Notre-Dame leur est ouvert sans discrimination, et leur offre de larges possibilités : échanges, expression, démarches et initiatives communes, mais aussi rencontres avec des adultes. Cette dernière initiative — récente — a son importance pour remédier à la ségrégation et au racisme anti-jeunes.

Ces nouvelles couches d'âge dont la proportion augmente à Lourdes, qu'en pensent-t-elles ? Des témoignages recueillis

durant la saison 1975 le révèlent. En voici quelques échan-
tillons :

> *Je suis venue à Lourdes. Je voyais surtout l'aspect « service »,
> les gens à accueillir, et ça a été très important pour ma foi... Lourdes
> c'est toute une ambiance, il y a une communauté, il y a la prière.
> il y a... la Vierge... qui accueille chacun... Si on va à la Grotte,
> le soir, on se sent « accueilli », mais tel qu'on est... il n'y a pas eu
> un moment particulier où je me suis senti transformée, ça s'est
> fait petit à petit... »* (Marie Paule).

> *Je savais qu'il y avait un camp de jeunes, j'ai voulu voir et je
> suis resté.*

> *Je suis avec le groupe de mon pélé. Ça ne me disait rien. Mais,
> après, ce que j'ai vécu, c'est formidable.*

> *Pourquoi je reviens et pourquoi je reviendrai à Lourdes ? C'est
> parce que j'y retrouve une remise en cause de moi-même. C'est
> le seul endroit réellement où je peux faire le point et être remis
> en cause par les autres, à tous les niveaux, dans une perspective
> de vie et de foi. Jamais je n'ai eu le temps et la possibilité de trouver
> ça ailleurs...* (Yannick)

> *De Lourdes, on ramène la joie.*

> *Lourdes = exceptionnel, mais un concentré d'humanité.*

> *Lourdes a été pour moi le premier lieu d'un certain engagement
> de chrétien. J'y ai découvert l'amitié* (Daniel), *etc.* [42].

B. DIMENSIONS DE L'ACCUEIL

La dimension internationale

Cet accueil a une dimension internationale à tous les niveaux :
celui des isolés, mais aussi celui des pèlerinages organisés.

Ils sont aujourd'hui trop nombreux pour que Lourdes
puisse se contenter d'en accueillir un seul à la fois. Les nécessités du calendrier en font coïncider plusieurs. Et la majorité
sont des étrangers.

---

42. *Recherches sur Lourdes*, n° 52, octobre 1975, p. 205-208.

Au niveau des malades, par exemple, ceux qui viennent de France forment sans doute le groupe le plus nombreux, mais non pas la majorité : durant l'année 1975, seulement 39 %, suivi de près par l'Italie, 35 %, puis : la Belgique (6,5 %), l'Espagne (6 %), la Hollande (4 %), l'Angleterre (3,25 %), l'Irlande (2,50 %), l'Allemagne (en augmentation progressive, particulièrement nette en 1976). En dépit des Belges de Wallonie et des Suisses (peu nombreux), cela ne fait pas 50 % de francophones. Le problème linguistique a été assumé aux niveaux les plus divers : affiches, feuilles d'information, hôtesses, mais aussi liturgie. Un répertoire de chants multilingue a été créé, qui permet de chanter le même mélodie en plusieurs langues à la fois.

La dimension internationale croissante de Lourdes est cultivée comme un signe de catholicité.

Dimension œcuménique

La dimension œcuménique, qui fut longtemps nulle, est loin d'avoir des proportions aussi importantes.

Lourdes fut longtemps un signe de contradiction pour les chrétiens séparés. Les protestants y voyaient (et y voient encore, dans une large mesure), un symbole du « culte marial », voire de la « mariolâtrie catholique ».

Côté orthodoxe, la situation est moins favorable qu'on ne pourrait le penser. Le dogme de l'Immaculée Conception, proclamé par Pie IX, et qui a trouvé un écho éclatant à Lourdes, a suscité les plus vives résistances dans l'orthodoxie, au point que deux Synodes russes ont pris formellement position contre cette dogmatisation.

Le souci œcuménique a été présent aux rénovations de Mgr Théas, qui écrivit, lors de la consultation préparatoire des évêques pour le Concile, une des requêtes les plus vigoureuses et les plus engagées en ce sens-là. En un temps où même le mot *œcuménisme* n'était pas admis à Rome, ce texte étonna. Et plusieurs prélats se demandèrent « ce qui avait pris à Mgr Théas »... Il exprimait tout simplement le souci de l'unité qui devait se révéler au Concile, dès la première session en 1962, et qui l'animait à Montauban, où il avait changé en relation d'amitié entre chrétiens, ce qui était jusque-là guerre ouverte entre catholiques et protestants. L'épuration et le recentrement de Lourdes favorisa d'abord la venue d'anglicans isolés, puis d'un pèlerinage anglican qui tend à devenir régulier.

On a mis à leur disposition, et à celle de tous les réformés qui passent à Lourdes, une salle où ils disposent de tout ce qui est nécessaire à leur culte, qu'ils célèbrent en toute liberté confessionnelle. Une femme pasteur danoise a demandé si elle pourrait célébrer dans cette chapelle en 1976. Une réponse favorable lui fut donnée, conformément à cette règle.

La presse a signalé parfois la venue de groupes musulmans, pour lesquels Myriam, Vierge Sainte et Mère de Jésus, est une figure vénérée[43].

Un groupe de bouddhistes s'est aussi présenté à Lourdes, en octobre 1975.

Mais ce sont là des visites occasionnelles, sans caractère suivi ni organique. Il fallait du moins les signaler, ne serait-ce que pour ramener le phénomène à ses justes proportions et mesurer l'ouverture de l'accueil.

Dialogue avec l'incroyance

Cet accueil va jusqu'à une claire conscience de « l'incroyance présente à travers l'afflux des touristes » (Lettre du Recteur des sanctuaires, 1975).

---

43. Sur Marie et l'Islam, voir par exemple Abd el JALIL, *Sur la théologie de l'Islam*, dans *Cahiers marials*, 1er septembre 1973, n° 89, p. 287-295. Ce numéro contient une interview reportage d'étudiants musulmans. G. NAPOLI, *Maria nel Corano*, dans *Studii biblici franciscani*, Liber annuus, 23 (1973), p. 206-241, et J. M. Abd el JALIL dans *Maria*, Paris, Beauchesne, vol. 1, 1949, p. 183-211.

Le pèlerinage tient compte de cette dimension-là. C'est une des fonctions de l'opération « Porte ouverte », pour incroyants, malcroyants, gens en recherche. Lourdes a même accueilli, en 1972, un dialogue contradictoire avec la libre pensée : sur le miracle (*Recherches sur Lourdes*, octobre 1972, n° 40, p. 177-187).

A la limite, on pourrait être déconcerté ou choqué. Cet accueil n'est-il pas hétéroclite ou disparate à l'excès ? Ce kaléidoscope ne relève-t-il pas du folklore ? Mais c'est le propre d'une *Eglise* à la différence des *sectes* de ne pas se fermer sur un groupe homogène de « purs ». Lourdes actualise donc une dimension de l'Eglise (dont un des symboles est l'arche de Noé). Si un accueil de ce genre n'existait pas, il faudrait l'inventer.

C. LA TRADITION ASSUMÉE

Si l'on s'en tenait à ces aspects nouveaux de l'accueil : pèlerinages insolites, marginaux ou provocants, afflux des isolés, jeunesse, internationalité, œcuménisme, on oublierait le plus fondamental, ce qui est à l'origine, et qui soutient le reste.

Ce que les responsables de Lourdes ont reçu mission d'accueillir, d'abord et de toujours, c'est une tradition : pas seulement l'événement fondateur du sanctuaire, mais des gestes, des rites, des habitudes improvisées par la foule dès le temps des apparitions. Le pèlerinage est né comme un phénomène spontané. D'emblée, une foule que l'autorité ecclésiastique n'encourageait nullement à aller à la Grotte y est venue, d'un grand élan, avec le souci d'accueillir la volonté de Dieu, en se pénétrant du message des signes, en essayant d'y répondre par la prière et par la conversion. Le pèlerinage s'est structuré, tout d'abord, de l'intérieur. Dès février 1858, le peuple qui affluait à la Grotte s'est mis à prier, à réciter le chapelet ou à faire silence, à l'exemple de Bernadette. Des malades furent descendus jusqu'au lieu de l'apparition, le long d'une pente alors abrupte. Le premier aménagement des lacets fut improvisé au flanc de la colline, par les carriers de Lourdes. Les offrandes en monnaie et en nature furent déposées à la Grotte. Nul ne déroba cet argent sans propriétaire, il fut recueilli, porté aux prêtres, par d'autres initiatives. Les problèmes posés par la source, par les cierges, furent pareillement assumés par les corps de métiers de Lourdes. Le ferblantier Castérot établit un bassin; le menuisier, une planche trouée pour y planter les cierges, etc. Lourdes est né comme phénomène de religion populaire avec improvisation de charismes, de ministères, de rites et de services. C'est d'autant plus évident que nul prêtre ne fut autorisé à se rendre à la Grotte avant novembre 1858. C'est beaucoup plus tard que les improvisations populaires furent assumées, canalisées, relayées, prolongées par les autorités établies.

Cette tradition de Lourdes s'est formée à l'intérieur de la tradition catholique, dans le respect de l'Eglise, de son autorité, de son enseignement. Bien avant Bernadette, le peuple avait identifié l'apparition féminine comme devant être la Mère de Jésus. Nul ne semble avoir pensé à rien d'ésotérique. Et l'abbé Désirat, le seul prêtre qui assista à l'une des apparitions (parce que ce myope ignorait la défense d'y aller), fut accueilli avec ferveur, par la foule, qui s'ouvrit pour lui donner place auprès de Bernadette.

Si le pèlerinage s'inscrit fondamentalement dans la tradition chrétienne, il implique aussi les traditions particulières à divers groupes. Infirmières et brancardiers ont inventé, de longue date, des formes de prières, de service, d'expression de la foi. Et cet héritage plus que centenaire a sa vitalité propre et sa résistance au changement. Comme tout phénomène de religion populaire, il n'est pas manipulable à merci. Les remous qui se sont multipliés dans le sillage des réformes conciliaires en donnent aujourd'hui l'évidence. La moindre précipitation ou erreur de doigté provoque de ces ruptures et désaffections qu'ont multipliées certaines pastorales idéologiques de l'après-Concile.

Le problème de la pastorale, c'est d'intégrer la nouveauté, qui resurgit sans cesse, à cette tradition qui demeure, de canaliser les initiatives et projets qui affluent, sans en réduire à l'excès l'originalité, sans créer non plus le trouble, la désaffection ou des conflits stériles.

Il s'agit aussi de conformer ces traditions particulières à la tradition de l'Eglise, à son enseignement actuel, et, en définitive, à l'Evangile.

D. LES SIGNES DE LOURDES

La tradition de Lourdes est inscrite dans les signes et gestes qui existent de longue date et qui évoluent de leur propre mouvement.

L'espace

Lourdes, c'était d'abord un lieu, un espace : cette pente et ces prairies au bord du Gave où est née une liturgie de plein air. C'est donc la pastorale d'un espace, chargée des symboles cosmiques évoqués plus haut (p. 40-41). Nous considérons ici, non plus ces signes comme tels, mais leur utilisation en acte, et la manière dont cet espace est utilisé.

Les rites de procession se sont improvisés selon l'invitation entendue par Bernadette le 2 mars 1858[44].

---

44. La partie du Message qu'elle a gardée la moins nette, à la suite du choc reçu au presbytère. Sa demande avait été accueillie avec quelque violence par l'abbé Peyramale : R. LAURENTIN, *La Vierge a-t-elle demandé à Bernadette une procession ?* dans *Revue d'ascétique et de mystique*, 1958, n° 133, p. 47-71.

Dès le 7 mai, lorsque l'arrêté municipal vint interdire de
« déposer » des cierges à la Grotte, les enfants de Marie tour-
nèrent l'interdiction en décidant d'y venir et d'en repartir,
cierges à la main. Leur *Mois de Marie* se transforma ainsi
en *processions aux flambeaux*. Le Commissaire stigmatisa
aussitôt « ce scandale d'un nouveau genre », et entreprit
de verbaliser pour « tapage nocturne ». Entraîné par l'habitude,
il avait même écrit sur le brouillon : « tapage *injurieux* et
nocturne ». Il a biffé le mot *injurieux* qui convenait mal
aux cantiques du Mois de Marie[45]. Mais c'est en 1872 que les
pèlerinages jumelés de l'Hérault et du Gard lancèrent une
retraite aux flambeaux. La formule, reprise par le célèbre
Père Marie-Antoine, capucin de Toulouse, fut adoptée rapi-
dement par de nombreux pèlerinages, puis par le sanctuaire
(*Recherches sur Lourdes*, octobre 1972, n° 40, p. 189). Cette
procession a le caractère d'une fête joyeuse au soir de chaque
pèlerinage. Elle s'est perpétuée jusqu'à ce jour.

La première procession *liturgique*, présidée par l'évêque
du diocèse eut lieu le 4 avril 1864 pour l'inauguration de la
statue[46].

La *procession du Saint-Sacrement* entra progressivement
dans les usages de Lourdes, après que le culte eucharistique
fut installé dans la chapelle demandée par l'apparition : la
basilique supérieure, bénie le 15 août 1871. Elle fut d'abord
épisodique, et prit forme en 1886-1888[47].

Dans la procession, la marche s'articule avec la démarche
spirituelle et le chant qui fait vibrer l'espace du sanctuaire.

Il n'est pas impossible qu'un jour la danse sacrée resurgisse
dans cet ensemble[48].

---

45. Sur la procession aux flambeaux des Enfants de Marie, LDA 2, p. 40-41.
46. *Recherches sur Lourdes*, n° 7, p. 51-57 : sur la première procession officielle,
celle du 4 avril 1864, pour l'inauguration de la statue.
47. H. BRANTHOMME, *Histoire brève de la procession du Saint-Sacrement à Lourdes*,
dans *Recherches sur Lourdes*, n° 7, juillet 1964, p. 61-62.
48. La danse a surgi effectivement à la Pentecôte 1976, dans la Basilique Saint
Pie X. Pris dans l'ambiance jeune du pèlerinage, le cardinal Guyot avait appelé

L'eau

L'eau est un des signes caractéristiques de cet espace. Bernadette, puis les pèlerins avaient commencé à dégager le gîte de la « fontaine », située au fond et à gauche de la Grotte. Cette source fut progressivement captée et canalisée, pour répondre à l'affluence de 3 millions et demi de pèlerins.

Depuis 1975, elle n'est plus cachée sous une dalle. On la voit jaillir au fond de la Grotte. Le symbole est parlant[49].

Le retour aux sources répondait à un besoin profond commun aux catholiques et aux protestants du XIXe siècle[50]. Et c'est ainsi que le rite *d'immersion* a surgi, de part et d'autre, sous des formes différentes. A Lourdes, le bain aux piscines a été canalisé comme un *sacramental* avec le souci de ne pas dévaluer ni concurrencer le sacrement de la nouvelle naissance : le rite d'immersion restaure le « baptême de pénitence » (*metanoïa*), que prêchait Jean-Baptiste et que l'Evangile distingue du baptême chrétien. A Lourdes, il est bien clair (et souligné) que ce n'est pas un autre baptême (comme l'ont interprété certaines sectes qui rebaptisent), mais un mémorial de la conversion baptismale. Ce rite actualise le besoin de renouvellement, de guérison et de régénération qu'éprouve une civilisation malade de sa matérialisation, de sa surabondance, de sa frénésie.

Marie : « Guitare de l'Esprit », et ajouté qu'il ne faudrait pas s'étonner si l'on voyait, en ce lieu « des prêtres, des évêques et même des cardinaux, danser la farandole », ce qui se réalisa à la lettre à la fin de la cérémonie festive de clôture.

La glossolalie (en forme de chant collectif) avait résonné bien des fois pendant ce pèlerinage. Elle y fut toujours d'une harmonie sans défaut.

49. Je ne sais quel projet (vrai ou supposé) d'un réflecteur dans lequel les pèlerins auraient vu l'eau inspira au *Canard enchaîné* ce titre : *Le miroir aux alouettes*, mercredi 30 janvier 1974.

En fait on voit l'eau directement, sans miroir. Elle arrive sur un lit de pierres moussues, et tombe en cascade dans un bouillonnement si attirant que, dans les premiers jours, on trouva un pèlerin italien en train de se baigner les pieds. Ainsi fallut-il établir un verre protecteur.

50. La réaction que suscitait la pesanteur des institutions prenait la forme de *revivals* chez les protestants, et d'apparitions chez les catholiques. Le besoin profond était analogue.

Le rite des piscines, longtemps étriqué dans le style du
XIXᵉ siècle, a été revalorisé, depuis 1976, à la lumière de l'Evangile. Il donne place aujourd'hui à un choix de formules diverses.
Le rite d'embrasser la statue de la Vierge qu'imposaient les
brancardiers est devenu facultatif. L'évolution sera guidée
par l'expérience et le choix même des pèlerins.

Le rite de « boire à la source[51] » que maintes personnes
accomplirent dès le jour où Bernadette la découvrit (25 février
1858) est laissé à la liberté des pèlerins. La catéchèse du
sanctuaire s'attache à motiver ce geste en dehors de toute
magie.

Les cierges

Autre problème : celui des cierges. Quoi qu'on en ait dit,
il n'y a rien là-dessus dans le message même de Lourdes.

La première initiative vint de Mme Milhet, et de son
ouvrière Antoinette Peyret, qui conduisirent Bernadette à
la Grotte pour la troisième apparition, le 18 février 1858.
Antoinette alluma le cierge à l'arrivée, et l'abrita du courant
d'air contre un rocher en surplomb[52]. L'intention était sans
doute d'avoir un objet bénit pour aborder « l'inconnue ». Tel
fut, en tout cas, le motif pour lequel le cierge de Lucile Castérot, une des tantes maternelles de Bernadette, qui était
congréganiste, fut apporté, le lendemain, 19 février, à la Grotte,
à la suite d'une conversation entre Bernadette et Bernarde
Casterot, sa marraine, sœur de Lucile[53]. Tante Bernarde
emporta le cierge et le mit dans la main de Bernadette[54].

---

51. Des canalisations conduisent l'eau directement aux fontaines (sans robinets)
où l'on boit le long d'une paroi de pierre. Durant l'hiver, le surplus est stocké dans
des réservoirs qui alimentent les piscines pendant l'été. Mais l'eau qu'on boit aux
fontaines est de l'eau fraîche.
52. LHA 2, p. 356, note 41.
53. LHA 2, p. 328 et 371.
54. LHA 4, p. 22-23, note 17.

L'habitude était prise. Trois jours plus tard, le 22 février, lorsque Bernadette fut entraînée vers Massabielle par une force irrésistible, elle s'arrêta sur le vieux pont et envoya chercher le cierge de sa tante Lucile[55].

S'il est vrai qu'elle a laissé son cierge à la Grotte à la fin de l'apparition du 25 mars, rien n'atteste qu'elle l'ait fait à la « demande de la Vierge[56] ». Elle n'a jamais confirmé cette interprétation. Elle l'a même récusée en 1859. L'usage de déposer des cierges à la Grotte et de les y laisser brûler avait d'ailleurs devancé son initiative : il est attesté avant le 8 mars.

Le 25 mars, Bernadette ne fit qu'ajouter son cierge à beaucoup d'autres. Le Commissaire en a compté 65, ce même jour, à midi, et 52, à 10 h du soir. En 1975, la consommation s'élève à 650 tonnes par an. On doit stocker, entre Gave et piscines, les cierges qui ne peuvent trouver supports durant l'été. Ils brûlent à longueur d'hiver, par les soins de plusieurs « feutiers » : ce mot, inconnu du dictionnaire, est celui qui avait déjà cours à Lourdes au temps de Huysmans. La combustion se fait maintenant à distance de la Grotte même, dont la voûte a pu être ainsi débarrassée d'une épaisse couche de noir de fumée.

Les discussions sur l'usage des cierges ne datent pas d'hier.

C'est là un rite païen que vous avez introduit dans les églises sous prétexte de religion ! disait Vigilantius.

Mais saint Jérôme rispostait :

Soit, nous faisons ce que font les païens, mais ce qui était détestable quand il s'agissait des idoles est une chose excellente lorsqu'il s'agit des martyrs etc. (Vacandard, Etudes de critique et d'histoire, tome 3, p. 152, DTC 13, 2332).

La liturgie utilise les cierges, depuis un temps immémorial, de manière non seulement utilitaire, mais décorative, et même

55. ib. p. 171, note 28.
56. LHA 6, p. 122.

symbolique : le cierge pascal signifie la lumière du Christ, et le cierge baptismal, cette même lumière dans le nouveau baptisé.

Offrir un cierge répond au besoin de gestes gratuits comme offrir des fleurs ou un parfum, à la manière de Marie-Madeleine que le Christ défendit contre ses détracteurs.

Le symbole est simple, il a sa beauté : celle d'un feu. Il est parlant, à l'image de la vie corporelle qui est une combustion lente.

Mettre un cierge cela peut être une facilité, un alibi, mais cela peut aussi concrétiser une intention de consumer sa vie et d'en faire une lumière.

L'analyse sociologique et religieuse reste à faire.

La pastorale de Lourdes vise à canaliser cet usage reçu, à le maintenir à sa place, afin que ce geste soit une *expression* sincère de la prière et des engagements vécus[57].

La terre et le rocher

Au cours des apparitions pénitentielles (25-28 février), Bernadette fut invitée à « baiser la terre en pénitence pour les pécheurs[58] ». Ce geste choqua nombre de témoins. Il suscita une crise de crédibilité (LDA 4, p. 266). Il ne semble pas que Bernadette ait réitéré ce geste *après les apparitions*. Chez

---

57. Une affiche tend à canaliser la motivation dans le sens suivant : une offrande dont une partie est destinée à l'entretien du sanctuaire, et l'autre aux Missions.

58. Bernadette fut aussi invitée à « manger de l'herbe », qui était là. C'était de la dorine. Une herbe comestible. Ce geste attira maints quolibets tels que : « Tu as mangé de l'herbe comme les bêtes. » A quoi Bernadette répondait entre autres choses : « Vous mangez bien de la salade. » (LHA 4, p. 388-394).

Le père Latapie interprète ce geste comme symbole pénitentiel de la déchéance du pécheur, en référence à l'enfant prodigue (Luc 15, 16) et à Nabuchodonosor en *Daniel* 4, 29 : « D'herbe comme les bœufs on te nourrira ; et 7 ans passeront sur toi jusqu'à ce que tu saches que le Très-Haut domine sur la royauté des hommes et qu'il la donne à qui il veut. »

Nous n'avons pas à nous y attarder, car ce geste de pénitence gratuit n'a pas eu de suites dans le pèlerinage, ni dans la vie de Bernadette.

les pèlerins, il n'a jamais été qu'épisodique. C'est sans doute par une sorte de compromis que ce geste choquant : baiser la terre, à même la boue, a pris une forme tempérée, où le pèlerin reste debout : embrasser la paroi du rocher, en passant devant la Grotte. Ce geste, laissé comme d'autres à l'improvisation des pèlerins, répond au besoin d'exprimer par un signe corporel le sens d'un souvenir et d'une présence actuelle.

Si nous nous sommes attardés à ces détails, c'est parce que la piété populaire est tissée d'éléments concrets qu'il serait léger ou illusoire de traiter par élimination. En toute forme d'amour et de relations personnelles, les hommes ont besoin de signes physiques et concrets, qui varient selon la culture et les sensiblités. En attendant que progressent les études de symbolique, psychologie et sociologie religieuses, qui élucideront ce domaine, il est clair que suspicion et raideur ont peu de fruit en la matière. Tantôt elles exaspèrent l'élan que l'on réprime, tantôt elles réussissent à l'inhiber, mais, de manière négative, en stérilisant la vie sauvage au lieu de la cultiver.

La pastorale de Lourdes respecte les gestes en tentant de les comprendre et en prenant garde qu'ils ne dévient. Les déviations seront d'autant plus rares, et les chrétiens s'appesantiront d'autant moins sur les formes les plus matérielles et les plus élémentaires du geste religieux, qu'ils seront mieux nourris de l'essentiel et moins frustrés dans leur besoin d'expression spontanée.

E. ASPECTS DE L'ACCUEIL

Les moyens matériels

Ce n'est pas le lieu de détailler le labeur qu'appelle tout cela, ni l'organigramme des services de la Grotte qui emploient environ 150 personnes (plus de 30 saisonniers : gardes, service de secours et de nettoyage, sacristains, « feutiers », chargés des cierges, jardiniers, imprimeurs, enfin les corps de métier : électriciens, menuisiers, charpentiers, peintres, mécaniciens et... polyvalents). Le chiffre est minime au regard d'un accueil à l'échelle de millions de pèlerins. Le bénévolat complète les services réguliers. Tout cela est peu voyant, mais la défaillance d'un seul de ces services pourrait produire des résultats comparables à ce qui se passe lorsqu'un seul petit vaisseau veineux ou artériel s'obstrue.

Un service s'est graduellement développé en ces dernières années : l'information. Celle-ci comporte une double face : informer la presse sur Lourdes, mais aussi informer le sanctuaire sur ceux qui viennent à Lourdes afin qu'il puisse les accueillir à bon escient.

1. Un Bureau de presse avait fonctionné momentanément durant l'année 1958. L'information jusque-là déplorable dans la presse française en avait été assainie.

En 1971, Mgr Donze a établi un Bureau de presse permanent, qu'il a confié au Père Ramond, ancien directeur de la revue *Sanctuaires et pèlerinages*. Le créateur de ce nouveau service fournit aux journalistes ce qu'ils cherchaient depuis longtemps : accueil, conférences de presse, notes d'information, documentation fondamentale, cabines téléphoniques, etc. Nous verrons plus loin que l'information joue, en certains domaines, un rôle pilote.

2. Le père Ramond a pris également en charge, depuis son arrivée en 1971, un autre aspect de l'information, la collation des statistiques : celles des pèlerinages et celles de l'administration civile en confrontant, pas à pas, prévisions et affluence effective. Il publie non seulement des chiffres globaux, mais des analyses par catégories :

- mode d'acheminement (par avion, rail et route);

- catégories sociales : forte proportion de ruraux et d'ouvriers, tandis que les milieux dits « indépendants » — les intellectuels — sont sous-représentés, sauf dans les services bénévoles;
- sexes : les femmes prédominent à 63 contre 37 %, la proportion étant plus équilibrée chez les Anglais et les Allemands, respectivement 52 contre 48 %, et 53 contre 47 %;
- couches d'âge : les jeunes sont sous-représentés, les plus de 45 ans sur-représentés[59].

Ces statistiques ont éclairé le terrain en manifestant l'importance des phénomènes : jeunesse[60], isolés, étrangers, qui appelaient un élargissement de l'accueil.

La dimension humaine

Si les responsables de Lourdes apportent, comme il se doit, des réponses techniques aux nombreux problèmes qui se posent sur le terrain : musique et chant de foules, accueil international, service des malades, il s'attache à garder à l'accueil une dimension humaine. Cet élément a des racines appréciables dans cette région de la France qui maintient, mieux que d'autres, cet essentiel trop souvent perverti par la civilisation tentaculaire d'aujourd'hui. Cet élément mérite d'être noté, à l'heure où Théodore Roszak[61], le prophète américain de la contre-culture, exprime du fond de son scepticisme une nostalgie de la Vierge Marie, évincée par la religion masculine, et par le culte d'une transcendance abstraitement conçue. La Mère de Jésus est pour lui une valeur « cachée là où finit la terre de désolation ». Lourdes répond à ce besoin et à cette symbolique.

---

59. J. RAMOND, *Lourdes, Pèlerinages 1973, Bilan et graphique*, Ronéotypé, non paginé.
60. Les jeunes sont en quantité variable selon les pèlerinages : 40 % dans l'un, dans d'autres 20 %, 16 %, 14 %... Ces données statistiques ont éclairé, elles ont stimulé la pastorale qui s'orientait du côté de la jeunesse.
61. ROSZAK, *Where the Wasteland ends. Politics and Transcendance in Post-Industrial Society*, Garden City, Doubleday, 1972, p. 132-133, etc.

La fête

Si un tel kaléidoscope d'impératifs et de requêtes trouve à Lourdes son harmonie, c'est aussi parce que le pèlerinage a le caractère d'une fête sans cesse recommencée.

Cette dimension de fête était inscrite dans les origines mêmes de Lourdes. Elle a persisté en dépit d'inhibitions cérébrales et « socio-culturelles » qui l'étouffaient.

Elle a resurgi de manière consciente, en 1971, dans la ligne préconisée par Harvey Cox seconde manière. Cet auteur, qui avait commencé par réduire le christianisme à l'action dans la *Cité séculière,* en évacuant la liturgie comme ritologie dépassée, a découvert, après cela, l'importance de la fête où il a investi sa réflexion et son action ultérieure. En 1972, le Congrès des directeurs de pèlerinage s'est préoccupé de développer cette dimension festive.

Cette orientation, comme bien d'autres, n'a pas été sans tâtonnements. Au pèlerinage du Rosaire, en 1971, une première veillée, organisée pour réaliser « un style de fête », avec John Littleton, avait recueilli une adhésion unanime. Mais la reprise de cette formule, le lendemain, pour la clôture du même pèlerinage, sans introduction ni paliers, avec prédominance de chants en anglais, fut un échec. Un groupe de perturbateurs exploita la situation, et fit rebondir l'affaire au pèlerinage national de 1972. La leçon en fut tirée en bon ordre.

Ici encore, l'important est d'accueillir, car la fête a une dimension irremplaçable de spontanéité. Remarquable fut, dans cette ligne, le pèlerinage de *Renouveau charismatique* à la Pentecôte 1976. La fête y fut un climat permanent, beaucoup plus important que la farandole finale à laquelle participait un cardinal. En deçà de manifestations particulières, le climat de fête importe pour la coexistence d'une diversité humaine.

Aux sources de la créativité

En définitive, la créativité du pèlerinage tient à un échange, à une interaction où les pèlerins qui fréquentent le sanctuaire jouent un rôle fondamental par ce qu'ils sont, par ce qu'ils font, par ce qu'ils proposent. Tout cela est assumé, mis en place et prend corps en formes coordonnées, cohérentes et concertantes sous la direction pastorale des chapelains. Cette corélation exemplaire demande à être illustrée par quelques exemples plus précis.

Les cérémonies collectives d'Onction des malades, dont nous avons parlé, sont nées de la requête des malades eux-mêmes, très précisément ceux du pèlerinage interdiocésain de 1966. Ils avaient entendu parler des révisions du Concile en la matière. Ils demandèrent à recevoir ce sacrement. C'est ainsi que le Père Brisacier mit en train la réflexion pastorale et les démarches nécessaires pour réaliser les expériences qui commencèrent dès l'année suivante (1967) au pèlerinage interdiocésain de Paris, et prirent forme, progressivement, grâce à l'action persévérante du Père H. Joulia, MIC.

Plus radicalement, à l'origine de Lourdes, c'est l'initiative populaire seule qui créa les rites et l'organisation du pèlerinage durant les neuf premiers mois : récitation du chapelet, veillée de prière, rites d'ablutions, captation de la source comme nous l'avons vu (p. 87-88). C'est le ferblantier Casterot qui fabriqua le premier bassin à trois canelles où l'on recueillait l'eau. Ce sont les carriers de Lourdes qui tracèrent les voies d'accès à la Grotte : le sentier en lacets sur la pente abrupte. C'est une femme de Lourdes qui plaça dans la niche de la Grotte la première statue. Et les premières processions furent le fait d'initiatives populaires.

Arrêtons-nous aux malades. Dès la quinzaine des apparitions, il en vint à la Grotte. On improvisa des moyens pour les y conduire en brancards et voitures ou voiturettes. On les amena de la région, puis de toute la France et de l'étranger. Les pèlerinages organisés qui se développèrent à partir de 1872 furent une révolution dans les routines médicales selon lesquelles un malade doit garder la chambre. Ce défi, plein de risques, s'est révélé largement bénéfique. Ce n'est pas qu'il n'y ait jamais de morts parmi les pèlerins de Lourdes. Mais la proportion est des plus faibles. Cela étonne quand on songe à ce que furent longtemps les conditions d'hospitalisation et d'hygiène, ainsi que la suspension de tout traitement durant le pèlerinage : ce qu'on appelait « le jeûne thérapeutique ». L'usage avait subsisté jusqu'à une date relativement récente. Il a cessé devant la multiplication des traitements spécifiques, dont l'interruption serait médicalement dangereuse. On renouvelait rarement l'eau des piscines (aujourd'hui encore une ou deux fois par jour seulement). Elle atteignait en fin de journée, un degré de pollution qu'on aimait à braver. Avant de quitter les piscines où ils avaient plongé les malades atteints parfois de plaies purulentes, certains brancardiers avaient coutume de boire un verre de cette eau, comme défi de la foi. A Lourdes, il ne pouvait rien arriver, pensaient-ils. Dieu était là, et la foi n'avait rien de mieux à faire que de proclamer sa victoire. Cet usage a été pour le moins découragé en ces dernières années.

En 1874, le pèlerinage de Langres, puis le pèlerinage national prirent l'initiative d'amener des malades de loin, dans le chemin de fer primitif de l'époque, au temps des wagons sans couloirs. Ce fut le défi du fameux train blanc. Les bienfaits de cette initiative révolutionnaire débordèrent largement les guérisons. Le pèlerinage arrache les malades au confinement, à la solitude, à la monotonie douloureuse en tête à tête avec la souffrance. Il les réintègre dans la société humaine d'où ils étaient exclus.

C'est dans ces conditions que les malades découvrent l'exemple de sainte Bernadette, qui vécut si profondément son

« emploi de malade », selon une formule de ses dernières années. C'est ainsi, également, que la présence priante et souffrante des malades pose question aux bien-portants sur le sens de leur vie et de leur mort. C'est au service de cette aventure fructifiante que se sont mobilisés des services bénévoles où se noue une fraternité dans la ligne de Matthieu 25, 38 et 44 : *J'étais malade et vous m'avez soigné.*

Tension et harmonie

Faut-il parler d'une tension entre la pastorale de Lourdes et la piété populaire à ses différents niveaux : celui du peuple tout venant et celui des militants qui profitent du cadre de Lourdes et de sa spiritualité pour la réalisation de leurs projets ?

La tension est non seulement inévitable, mais normale en ce domaine.

En effet, la piété populaire est très stable dans ses habitudes et dans les archétypes qui la soutiennent. Elle se laisse peu influencer par les idéologies[62], qu'elles soient de droite ou de gauche, qu'elles émanent des autorités religieuses ou des courants critiques de la théologie. Dans une large mesure, les pèlerins passent sous les bienfaisantes pluies pastorales sans trop se laisser mouiller à la manière des feuilles de capucines sur lesquelles les gouttes d'eau ruissellent comme du vif argent. Les efforts pour éveiller les pèlerins de circonstance à une vocation de militant rencontrent une inertie muette. Nombre d'entre eux sont vaccinés contre l'engagement et certaines tentatives pour faire du pèlerinage un lieu de recrutement pour l'action catholique et d'autres formes de militance ont été décevantes. On a pu entendre certains pèlerins exprimer

---

62. C'est ce qu'ont établi les travaux sociologiques de P. L. PINKUS et P. GRASSO. Voir les comptes rendus de R. LAURENTIN dans *Revue des Sciences philosophiques et théologiques* 58 (1974) p. 301-303 et 60 (1976), p. 451-500.

leur nostalgie à l'égard du passé : « On ne parle plus de la Vierge », « Il y a moins d'enthousiasme ». Ces plaintes sont rares, isolées. Elles tendent à disparaître. Ce qui s'exprime souvent, c'est l'adhésion, le bonheur d'avoir trouvé ce qu'on espérait, ou même ce qu'on n'attendait pas.

Les tensions s'exercent en des sens divers, opposés. La pastorale de Lourdes doit compter aujourd'hui avec l'orientation politique de l'Action catholique, et l'afflux de groupes traditionalistes.

Et pourtant, cette pastorale est de moins en moins sujette aux critiques de droite ou de gauche. Elle reste consciente des tensions qu'il faut accepter, de la mesure qu'il faut y mettre, de l'héritage séculaire et des équilibres naturels qui ne peuvent évoluer que graduellement, enfin de la puissance de Dieu pour rassembler les chrétiens en dépit de leurs oppositions.

Comme l'écrit judicieusement, le père Michel de Roton, Recteur des sanctuaires :

> *Notre effort se situe sur une ligne de crête entre la foi des gens simples, à ne pas troubler, et la mise en œuvre de Vatican II. Il faut éviter d'être le dernier bastion de l'intégrisme et en même temps rester simple, populaire, aidant pour ceux qui sont pauvres culturellement.*

Un des secrets de l'harmonie de Lourdes, c'est l'attention permanente et communautaire aux réalités de la base, un souci d'information et une capacité de feed-back (rétroaction), devant toute requête ou récrimination qui surgit avant qu'elle grossisse. N'est-ce pas — au-delà de toute recette — le secret des éducations réussies ?

5
Problèmes en gestation

La vitalité du pèlerinage de Lourdes n'a donc rien d'un équilibre statique ou d'une installation définitive. La vie est mouvement. C'est pourquoi nous terminerons par l'évocation de deux problèmes particulièrement critiques, dont la solution reste en suspens, à long ou à court terme, deux problèmes particulièrement voyants et parfaitement hétérogènes : le commerce et les guérisons de Lourdes.

A. LE COMMERCE

Les données

Les objets de piété s'offrent aux trois millions et demi de pèlerins annuels, en des centaines d'étalages : Vierges-bouteilles, de toutes tailles, à partir de soixante-quinze centimes; images mièvres et statues où dominent le bleu et le rose, Vierges en creux, Vierges lumineuses, musicales ou parlantes, et autres gadgets, sans oublier les pastilles à l'eau de Lourdes. C'est là un des thèmes les plus souvent évoqués lorsqu'on parle de Lourdes. Depuis le temps de Huysmans, le mercantilisme et les marchands du temple sont un thème d'éloquence inépuisable. Et les films documentaires y trouvent l'occasion de séquences-repoussoirs dont l'effet est infaillible : le haut-le-cœur après l'émotion religieuse. Tout cela mortifie profondément ceux qui sont partie prenante à Lourdes, au premier plan, les commerçants. Mais qu'y faire ?

> — *J'ai voulu m'abstenir de vendre ces articles que vous appelez des horreurs, m'a dit l'un d'eux. J'ai dû en reprendre, car je ne gagnais plus ma vie. J'aurais dû fermer boutique. Comprenez, c'est la clientèle qui veut cela. Les fabricants connaissent ces goûts, il y répondent, et nous sommes dans l'engrenage. Ce qu'on ne dit pas, c'est que ceux qui critiquent le plus fort ces « horreurs » sont aussi ceux qui les achètent. Oui, ceux qui entrent en faisant des réflexions goguenardes ou désobligeantes choisissent souvent le pire. Un jour, un directeur de pèlerinage m'a chapitré : « Comment pouvez-vous vendre de pareilles saloperies » (excusez-moi, c'est le mot qu'il a employé). J'étais impressionné, et je songeais à cela quand arrive un évêque d'une péninsule voisine. Il s'arrête devant la statue qu'on venait de stigmatiser. Il n'y en avait qu'une en rayon : « Vous n'en avez pas deux ? » — « Si » — « Alors vous mettez les deux, une pour moi, une pour ma vieille mère. » J'ai dit cela au directeur de pèlerinage qui n'était pas loin. Les bras lui en sont tombés.*

Un projet

Mais les bras ne sont pas tombés au curé de Lourdes, un montagnard barégeois que n'intimident pas les murs ni les avalanches. Encouragé par les transformations réalisées dans l'hôtellerie lourdaise[63], il a commencé à climatiser les directeurs de pèlerinages, à partir de leur réunion d'octobre 1973, et les commerçants lourdais : gérants de magasins, grossistes et fabricants. Une Commission se constitua, lança un questionnaire à quelque 600 personnes sur le thème que la presse répercuta en ces termes : *Sommes-nous les marchands du temple ?* Il y eut 100 réponses, dont 40 d'une particulière

---

63. Sur ces réalisations dans l'hôtellerie, ci-dessus p. 72-73.

qualité. En 1976, l'entreprise passa du stade des réunions privées à celui d'une réunion publique où vinrent 35 commerçants (19 mai). Ils prirent un nouveau rendez-vous avec les représentants des directeurs de pèlerinage pour s'attaquer au problème. Lors de la réunion du 10 février 1977, une enquête fut lancée, auprès des pèlerins, afin de mieux saisir pourquoi ils achètent, leurs goûts, leurs désirs, et les possibilités d'évolution qui en résultent.

L'enjeu

L'enjeu est de taille : 100 000 articles différents, diffusés par 50 grossistes et 400 détaillants pour 3 millions de pèlerins par an, à l'échelle d'une dizaine de milliards d'anciens francs.

Qui gouverne ce formidable marché ? La réponse ne conduit pas à identifier et « dénoncer » les coupables. Marchands et clients sont impliqués dans un même déterminisme. Les fabricants fabriquent ce qui se vend, à des prix d'ailleurs très bas. Leurs modèles s'inspirent des goûts et choix du public. Les articles importés d'Italie sont achetés par des pèlerins italiens; les articles importés d'Allemagne repartent en Allemagne, achetés par les Allemands, et ainsi de suite.

Comment désamorcer l'engrenage ? Et à partir de quels critères ? Car les paramètres sont aussi hétérogènes que difficiles à identifier : esthétique et commerce, foi et religion, etc.

Il suffit d'être allé dans un magasin de Lourdes, d'avoir examiné les « 100 000 articles » inscrits à l'inventaire, d'avoir parlé avec les commerçants et les pèlerins pour saisir la complexité du problème. Le malaise du visiteur de passage est le plus souvent élémentaire, en deçà de l'analyse.

- Le choc est d'abord celui qu'on éprouve devant toute *commercialisation du sacré*. La formule « marchands du temple », empruntée à l'Evangile, a jailli aussi, dans le quartier Saint-Sulpice ou à Rome, où « les objets vendus aux pèlerins ne sont pas mieux qu'ici », ont observé certains commerçants de Lourdes à la réunion du 19 mai 1976.

- Ce choc est renforcé par l'effet d'*accumulation*. Une statue est un objet unique, destiné à être le point de mire. Sa multiplication sur les rayons suscite la gêne et la dérision. Qu'on multiplie par trois ou quatre un très beau Crucifix sur le mur d'une église, et cela devient étrange, voire intolérable.

- Enfin, les erreurs ou cocasseries voyantes[64] que piègent photographes et cinéastes dans leurs reportages sur Lourdes, sont les arbres qui cachent la forêt. Nombre de commerçants de Lourdes se refusent à vendre des articles ridicules ou scandaleux, tels que les cendriers où l'on écrase le mégot sur l'image de la Vierge Marie. La « pierre de Lourdes » qui « rend les hommes virils », est vendue *par correspondance*, sur la base d'une publicité dans la presse parisienne. Je ne l'ai pas trouvée dans les magasins de Lourdes.

La réalité du commerce de Lourdes (et l'analyse) commence donc au-delà de ces impressions premières. A certains égards, l'évolution est positive, à la mesure d'une meilleure éducation des pèlerins. Il y a moins d'horreurs, plus de sobriété. Mais les articles « artistiques », qu'on a tenté d'introduire pour répondre à ces nouvelles exigences, sont-ils plus satisfaisants que les autres ? Non, en général. A part quelques objets fonctionnels : chapelets en bois et corde, gobelets et gourdes

---

64. Une vieille lourdaise m'a certifié qu'on avait vendu un moment des pots de chambre à l'effigie de Notre-Dame de Lourdes. Mais pour des articles pareils, les mécanismes de rejet fonctionnent très vite de la part des commerçants comme des clients. Et la fabrication cesse.

qui remplissent honnêtement leur fonction, avec la beauté propre à l'objet bien fait, l'impression dominante est celle d'une médiocrité généralisée.

Des goûts et des couleurs

La faille la plus manifeste dans le goût du public, c'est l'inclination pour ce qui brille : le clinquant sur les médailles, les couleurs vives sur les cartes postales et les statues, le lumineux et le phosphorescent réussissent. Et aussi l'accumulation sur un seul article d'un maximum de « signaux » et symboles du pèlerinage. Le type d'article le plus vendu en ces dernières années est une statue de la Vierge sur un socle évoquant le panorama de la Grotte et souvent la basilique, avec des lampes (clignotantes ou non selon le prix), et l'*Ave Maria* joué par une boîte à musique fabriquée en Suisse en grandes séries. Il y a seulement 2 ou 3 modèles de boîtes à musique, mais des centaines de socles différents : tous matériaux (métal, plastique, etc.), toutes couleurs, depuis 20 Fr. jusqu'à 300 et plus. Les articles les plus chers ne sont pas ceux qui se vendent le moins bien, me disait l'un des commerçants. Par contre, le modèle avec « fontaine miraculeuse », incluant un réservoir que l'on pouvait remplir d'eau de la Grotte avec une tuyauterie n'a pas pris.

PUBLICITÉS ABUSIVES

La typologie des publicités abusives tient en trois articles :

1. La goutte d'eau de Lourdes

L'abus consiste en ceci que l'eau, sans valeur marchande, est incorporée à un produit pour lui donner valeur marchande, en misant sur des motivations religieuses. A cela s'ajoute une équivoque : « L'eau de Lourdes » incorporée au pendentif est-ce celle de la Grotte ? Mais alors on ne serait pas en règle avec les normes établies. Ou bien est-ce l'eau des robinets de la ville de Lourdes ? Et ce serait alors une duperie. Ce qu'il y a de troublant dans ce cas, c'est que la publicité a été habilement rédigée, sans doute avec le concours d'un théologien, en usant de thèmes empruntés à la pastorale du sanctuaire.

2. Les pastilles à l'eau de Lourdes

Les pastilles à « l'eau de Lourdes » posent le même problème avec une autre modalité publicitaire : le fabricant avait envoyé au Pape Léon XIII une « boîte d'or » remplie de ces pastilles. Selon l'usage, le cadeau reçut un accusé de réception avec remerciement et bénédiction pour l'expéditeur. Depuis lors (bientôt un siècle), la publicité insérée dans chaque sachet reproduit le sceau pontifical de la lettre signée du cardinal Rampolla, avec ce commentaire : « Sa Sainteté a daigné (...) nous bénir ainsi que notre *œuvre*. »

3. La pierre de Lourdes

Il s'agit ici d'un abus plus grossier, comme on en jugera par cet extrait d'une publicité parue dans *Ici Paris* 1er octobre 1976 et dans divers journaux parisiens :

LA PIERRE DE LOURDES : Un bijou inestimable
Cette pierre mystérieuse est sortie des entrailles de Lourdes, la terre des miracles. On dit qu'elle possède d'étranges pouvoirs (...)
Secret de la Santé
« Mon corps est revitalisé et je dors très bien »
Secret de l'amour
« Celui que j'aime m'a enfin remarquée, je suis très heureuse »
Secret de l'argent
« La pierre de Lourdes m'a permis de résoudre heureusement un gros problème d'argent ».
Secret de la réussite
« J'ai été choisi parmi de nombreux autres candidats pour un poste convoité ».
Ces secrets si convoités ? Ils sont enfin à notre portée grâce à l'extraordinaire Pierre de Lourdes !
Il existe deux pierres de Lourdes : Pierre Naturelle FF 65 et Pierre Bijou avec « double protection dorée » en quantité limitée FF 115.

Ce qu'on fait miroiter ici, de manière magique et totalement étrangère à la foi chrétienne, c'est l'antithèse même des trois vœux que l'Evangile a inspirés : pauvreté, chasteté, obéissance. La pierre de Lourdes promet la richesse, l'éros et le pouvoir. Sur la publicité en question la pierre affecte la forme d'un phallus avec un double foyer de rayonnement qui complète l'évocation érotique. Incroyable mais vrai.

Notons du moins que cet article n'est pas vendu dans les magasins de Lourdes où je l'ai en vain cherché. Il s'agit d'une vente par correspondance qui a pris seulement une Boîte postale à Lourdes.

La goutte d'eau qui fit déborder le vase

Alors que les « pastilles à l'eau de Lourdes », qu'une fabrique avait de longue date assorties d'une apparente bénédiction papale[65], étaient en régression, voici que la mode des pendentifs a inspiré, au début de 1976, une entreprise commerciale du même type : « la goutte d'eau de Lourdes », dont la publicité s'est étalée dans *France-Dimanche* et ailleurs :

> *Nous avons créé le bijou* Goutte d'eau de Lourdes : *objet beau par sa simplicité, authentique parce qu'il contient véritablement de l'eau de Lourdes, etc.*

La publicité tente de cacher, sous la répétition insistante des mots « authentique » et « véritable », le fait que les évêques de Lourdes ont formellement interdit l'eau de la Grotte à des marchandises. La publicité des antiques pastilles, comme celle de la nouvelle « goutte d'eau », n'est donc pas en droit de parler d'eau *de la Grotte*. Elle se replie sur la formule : « eau de Lourdes », inattaquable en ce sens que l'eau puisée à n'im-

---

65. Voici un échantillon de la longue publicité qu'on trouve dans chaque boîte de pastilles :

ALLEZ BOIRE A LA FONTAINE : cette parole que la très Sainte Vierge adressa à Bernadette dans la Grotte de Lourdes a été (...) bien écoutée (...). Non seulement on veut boire à la fontaine, mais, après le bonheur trop vite passé, on cherche à faire renaître et à rendre durable cette satisfaction bien légitime, en prenant avec soi, au moment du départ, une provision de cette eau que Marie Immaculée a fait jaillir (...). La foi est vive encore chez nous et la charité est ingénieuse ; elle ne dédaigne pas les moyens humains que la science a trouvés (...). Tous ne peuvent pas venir à l'eau de la fontaine (...). Mais l'eau de la fontaine peut aller à tout le monde. C'est afin de rendre plus facile le transport de l'eau miraculeuse et de la faire arriver sans encombre et sans embarras dans tous les lieux que (...) mettant de côté toute odieuse pensée de spéculation et de lucre (...) et répondant à des désirs plusieurs fois manifestés, nous avons cru nous rendre agréables et utiles aux pieux pèlerins en établissant une usine spéciale dans laquelle nous fabriquons des PASTILLES A L'EAU DE LOURDES (...). Notre combinaison offre cet avantage appréciable qu'on pourra garder toujours sur soi l'eau de Lourdes pour s'en servir en tous temps et toutes circonstances. Une pastille à l'eau de Lourdes glissée dans un verre de tisane, non seulement n'enlèvera rien de l'efficacité naturelle du remède prescrit par le médecin, mais elle donnera confiance au pauvre malade qui espère en Dieu et en la bonne Vierge. On n'ignore pas en effet que ce n'est pas la plus ou moins grande quantité de l'eau de la sainte fontaine « qui opère la guérison », etc.

Ce genre d'argument a peu de prise aujourd'hui et la maison en question semble faire de plus larges affaires avec les « cailloux du Gave », « Berlingots » et « pastilles au miel des Pyrénées », qui « ne peuvent que faire du bien », elles aussi.

porte quel robinet de la ville peut être ainsi qualifiée[66]. La commercialisation n'est possible qu'à l'abri de l'ambiguïté.

Il y en a une autre plus subtile, c'est que cette publicité utilise littéralement les formules de la pastorale du sanctuaire :

> *Eau, symbole de vie, de pureté, symbole de grâce, qui rappelle le baptême, signe de la foi ! (...)*
> *Un signe, un rappel et une sorte d'engagement...*
> *Cette eau, sur soi, peut être une façon d'affirmer son attachement aux vérités qu'elle rappelle, en s'engageant soi-même à les défendre, etc.*

Tout cela est donc parfaitement bien pensant, mais avec une double disgrâce : on incorpore le gratuit à un objet commercial pour lui donner (sans frais) valeur marchande, et en réaliser la « promotion » (comme on dit en terme de *marketing*). Le rite (boire, se laver) est détourné dans un sens statique, donc magique. Exemple des pièges qui resurgissent à chaque pas et manifestent les points faibles d'un équilibre difficile.

En pareil cas, les réactions hâtives et spectaculaires ne sont pas les bonnes. Dans le passé, elles ont contribué à lancer les produits qu'on blâmait, tout comme la condamnation de certains livres par le Saint-Office en a fait des best-seller, et comme la récente intervention du Pape Paul VI pour démentir les propos irresponsables d'un écrivain français a assuré la publicité de ce qui serait, sans cela, resté dans son néant.

Soucieux de l'authenticité des « Valeurs de signes », Mgr Donze a pris le recul nécessaire pour mettre en garde contre ce genre d'articles et de publicité, dans le *Bulletin religieux de Tarbes et Lourdes* (24 juin 1976, p. 308, JGL, 4 juillet, n° 14, p. 6) :

> *Comment admettre que des objets tels que pierres, parcelles de terre, fleurs, gouttes d'eau, et même des médailles, puissent être*

---

66. La publicité des pastilles met en garde contre « des négociants peu scrupuleux » qui « vendent comme pastilles à l'eau de Lourdes des pastilles fabriquées à Lyon, Marseille, Toulouse. Exigez la marque » (p. 4 du prospectus).

*présentés comme des sortes de talismans qu'il suffirait de porter
sur soi pour être protégé parce que « venant de Lourdes ? »
Il y a là un grave danger de déviation du sentiment religieux
contre laquelle les sanctuaires mettent en garde fabricants,
commerçants, propagandistes et ... acheteurs.*

Cette note eut un écho considérable dans toute la presse,
du *Canard enchaîné* et *Le meilleur* au *Figaro* et à *Paris-Match*,
qui en traita sur 6 pleines pages sous le titre à sensation :
« *Lourdes Big-bazar. L'évêque se fâche* », etc.

Pistes d'action

Un puissant ressort soutient le mouvement de réforme :
la mauvaise réputation du commerce de Lourdes nuit à l'image
de marque de la ville, à la prospérité de son commerce, et à
l'honneur de ceux qui l'exercent. Ils désirent en sortir.

La situation est donc mûre pour des prises de conscience,
si contrariées soient-elles par les réflexes d'autojustification
qui fonctionnent en pareil cas.

Des critères

De toute manière la meilleure volonté du monde ne saurait
suffire à résoudre un problème où se recoupent des facteurs
aussi nombreux, complexes et mal connus :
- Esthétique : quels sont les critères du beau et du laid ?
- Religieux : quels signes parlent ou ne parlent pas à la foi,
la nourrissent ou la falsifient ?
- Economique : quels besoins et quelles lois régissent ce
marché ?
- Psycho-sociologique : quels ressorts de la psychè, quels
ressorts collectifs se trouvent engagés ? Quelles sont les possibilités d'éducation en la matière ?

Il faudrait éclairer, chacun pour eux-mêmes, ces divers
facteurs.

En attendant, diverses pistes ou modes d'action empiriques
ont été *envisagées* au cours des réunions préparatoires : tableau
d'honneur et tableau d'horreur des articles en vente pourraient

avoir un double effet de formation du goût et de dissuasion :
toutefois une tentative de ce genre, improvisée par des jeunes
au service des malades a été ressentie comme une dérision
de mauvais goût tant pour les pèlerins acheteurs que pour les
commerçants. On a envisagé aussi que la direction des pèlerinages puisse accorder un label à des articles dignes d'encou-
ragement. Un tel label serait sans doute recherché, mais pourrait donner lieu à toutes sortes d'équivoques.

Un problème d'éducation

Le problème fondamental est un problème d'éducation.
Et ce problème dépasse la compétence des commerçants.
L'un d'eux disait, en réponse à l'une des enquêtes :
— Si nos articles sont surprenants, le goût du client l'est
aussi. Un article n'est valable que dans la mesure où il plaît.
Notre devoir n'est pas d'éduquer le goût des pèlerins, mais de
le satisfaire.

L'Eglise, par contre, est concernée au premier chef. Elle
fut le peuple qui construisait les cathédrales. Une tradition
d'art populaire a survécu en France jusqu'au siècle dernier
et en Pologne jusqu'à nos jours. Comment cela s'est-il dégradé ?
Et comment y remédier ?

Le problème est que l'éducation à faire présuppose des
critères qui font encore défaut : avant tout au plan de la foi
(comment juger de la valeur des signes utilisés ?) et de l'esthétique ? Il s'agit donc d'un cheminement à long terme, qui
devra se poursuivre par l'instauration d'études fondamentales
et par les initiatives de la création artistique. La biennale du
Gemail joue assurément un rôle en ce domaine en proposant
un art de la lumière à la fois populaire et d'une haute exigence
esthétique et technique.

De toute manière, le commerce de Lourdes n'a cessé
d'évoluer. Il continuera. Et mieux vaut mettre la main au
gouvernail que de laisser le bateau à la dérive.

B. LES GUÉRISONS[67]

Le second problème en gestation, ce sont les guérisons de Lourdes. Quelle valeur ? Quel sens leur donner ?

Premières étapes du constat

Les guérisons qui avaient surgi spontanément avaient pris une grande place dans l'esprit des pèlerins. Mais le sérieux était mêlé d'illusion. Et nous avons vu comment Mgr Laurence instaura une Commission d'enquête et retint 7 cas miraculeux parmi les raisons de reconnaître l'authenticité des apparitions (18 janvier 1862).

Durant les années suivantes, les guérisons ne furent plus soumises à des constats systématiques.

A partir de 1866, toutefois, les missionnaires, devenus responsables du sanctuaire publient au jour le jour, dans les *Annales de Notre-Dame de Lourdes*, fondées cette annnée-là, les faits les plus frappants, après les avoir soumis au professeur Vergez, † en 1883, qui avait conclu la première enquête médicale en 1861. Vers 1882, le Docteur de Saint-Macloud, professeur de médecine à Louvain, † en 1891, fonde la *Bureau des constatations* médicales. Le Docteur Boissarie, † en 1917, lui succède.

L'organisation des constats fut inspirée par un triple souci :

- Ecarter l'illusion.
- Présenter aux croyants des cas dûment reconnus dont on puisse dire, à la suite de Mgr Laurence : « Le doigt de Dieu est là. »
- Enfin, réfuter, sur le terrain de la médecine elle-même les adversaires anticléricaux et rationalistes.

---

67. Sur les guérisons voir l'ouvrage du docteur A. OLIVIERI et de B. BILLET, cité ci-dessous note 68.

En 1905, le *Bureau des constatations* avait déjà constitué 2 000 dossiers.

A cette date, Pie X demande que les constats soient réalisés selon les procédures établies pour les canonisations, avec un examen en deux temps : médical, puis religieux. 33 guérisons sont ainsi reconnues de 1907 à 1913. Les constats canoniques s'interrompent alors du début de la première guerre mondiale à la fin de la seconde.

La réorganisation de 1946

En 1946, Mgr Théas réorganise les constats de guérisons, selon une procédure médicale plus exigeante (ci-dessus p.53), qui articule trois instances successives :

1. A Lourdes, le *Bureau médical* constitue les dossiers, trie ceux qui se prêtent à un constat, et les transmet à l'instance suivante :

2. Un *Comité médical international* juge, en dernier ressort, sur le plan scientifique.

3. Les dossiers ainsi retenus sont soumis à l'évêque du diocèse auquel appartient le malade guéri. Cette dernière instance juge des guérisons au plan religieux. Il lui revient de déclarer officiellement que la guérison reconnue par les médecins est miraculeuse, qu'on est fondé à y voir un signe de l'action de Dieu.

Depuis la réorganisation de 1946 jusqu'à mai 1975, 995 dossiers de guérisons ont été constitués par le Bureau médical, 74 d'entre elles ont été retenues par le *Comité médical international*. 23 seulement ont été reconnues canoniquement par les évêques[68].

---

68. Docteur A. OLIVIERI et Dom B. BILLET, *Y a-t-il encore des miracles à Lourdes ? Trente dossiers de guérisons*, Paris, Lethielleux, 3e édition, revue et mise à jour, 1972.

L'impasse

Le constat médical s'est donc perfectionné. Mais le prestige qu'il a ainsi acquis a paradoxalement conduit à une impasse. L'importance et l'autorité qu'on lui accordait ont fini par écraser l'accueil pastoral des guérisons, l'information (qu'il fallait garder secrète avant jugement) et finalement l'exercice de ce jugement par les médecins et par les évêques eux-mêmes. Précisons cette situation :

1. Sur le terrain pastoral, le souci de prudence, de désintéressement et de rigueur a supplanté, en ces dernières années, l'espérance de guérison. La conviction croissante que la prise en charge du malade guéri relevait uniquement de la médecine avait fait négliger l'accueil spirituel qui importe à la fructification des miracles. Finalement, après avoir été mises en vedette à l'excès, les guérisons de Lourdes sont devenues l'objet d'une méfiance et d'un silence excessifs.

2. Sur le terrain de l'information, le souci d'éviter la divulgation de guérisons non contrôlées et non garanties avait conduit à étouffer l'événement. Longtemps, les guérisons avaient eu leur place dans les *Annales* du sanctuaire, fondées en 1866, puis dans le *Journal de la Grotte* et dans l'ensemble de la presse. Ces publications avaient cessé. Et lorsque les correspondants de presse de Lourdes cherchaient à s'informer, on les invitait au silence jusqu'aux verdicts du *Comité médical international* puis de l'autorité ecclésiastique : soit un délai d'une dizaine d'années en moyenne. La dernière guérison reconnue par l'Eglise : celle de V. Micheli (sarcome cancéreux) remontait à 1963. Elle est restée 13 ans dans l'ombre.

L'ordre de la procédure a été récemment modifié : la *Commission diocésaine* donne désormais son avis avant le *Comité médical international*. L'évêque du lieu ayant e dernier mot.

Ce silence réprimait, non seulement l'action de grâce, mais la requête spécifique de la presse dont l'objet est la *nouvelle*. En aucun domaine on n'attend la fin d'un événement pour informer. Bien au contraire, c'est sa naissance qui compte. Aurait-on pu faire silence sur le Concorde jusqu'au jour de sa mise en vente et de sa circulation sur une ligne régulière ? Il y avait donc tension permanente et discussion entre le directeur du Bureau médical et les journalistes, qui protestaient :

— *Vous ne nous donnez des nouvelles que 10 ans après. Ce sont des momies de guérisons, des cadavres de miracles.*

3. AU PLAN MÉDICAL les constats sont devenus de plus en plus difficiles, sinon impossibles, au recoupement de facteurs convergents :

- La complexité croissante de la médecine requiert, pour tout constat de maladie ou de guérison, un nombre croissant de tests qu'on ne peut presque jamais réunir.

- Les notions mêmes de maladie et de guérison sont relativisées.

- Médecins et hôpitaux sont réticents lorsqu'il s'agit de fournir des documents pour constituer le dossier d'un malade qui se rend à Lourdes ou d'une guérison qui s'y est produite. L'hôpital et le médecin éprouvent la crainte de se trouver annexés à une opération religieuse. Et si la guérison s'est produite dans des conditions invraisemblables, les collègues ne vont-ils pas conclure à une erreur de diagnostic ?

- Les médecins laissent de moins en moins voyager les grands malades.

- Alors qu'on pratiquait à Lourdes le « jeûne thérapeutique » (cessation de toute médication à partir du départ), la plupart des malades continuent aujourd'hui leur traitement pendant le pèlerinage et c'est à ce traitement qu'il paraît tout d'abord obvie d'attribuer la guérison lorsqu'elle a eu lieu.

Au-delà de ces problèmes concrets, un autre plus radical, s'impose : ce que l'Eglise demande au médecin, en vue de la reconnaissance d'un miracle, ce n'est pas seulement la garantie qu'il y a bien eu maladie, et qu'il y a bien guérison. Il lui faut répondre à une troisième question : cette guérison est-elle *inexplicable au regard de la science ?* Mais c'est là une sorte de contradiction dans les termes, car le postulat de toute méthode scientifique, c'est qu'il n'y a rien d'inexplicable, qu'il faut forcer l'explication dans ses retranchements jusqu'à ce qu'elle cède. Au XVIe siècle, l'étiologie naissante (c'est-à-dire l'identification des causes de maladies) distinguait, outre les causes physiques, les causes morales (on mettait la syphilis sur le compte de l'immoralité), et les causes surnaturelles : divines ou diaboliques. La médecine est devenue science, elle a progressé de manière foudroyante, à partir du moment où elle a cessé de mettre au compte de l'inconnu et de la transcendance ce qui l'embarrassait, lorsqu'elle a pris pour principe de tout expliquer sur le seul terrain des phénomènes, et de réviser inlassablement ses théories pour y intégrer les faits apparemment inexplicables qui paraissaient les démentir. Dans cette perspective, le mot « inexplicable » n'a pas sa place dans le vocabulaire scientifique.

Pour sortir de cette impasse, les médecins du Comité *international* ont demandé à préciser ce terme par la clause : *dans l'état actuel de la science.* Mais cette formule, ambiguë sur le terrain scientifique, est irrecevable au regard des règles canoniques. Un constat n'est pas valide s'il comporte une restriction; il ne peut fonder la reconnaissance officielle d'un miracle que s'il présente un caractère de certitude sans échappatoire[69].

---

69. Ce point est épineux. Pour l'une des guérisons de Lourdes, l'évêque a demandé

Plus profondément, l'esprit rationaliste qui a gagné notre civilisation tout entière répugne à reconnaître une exception aux lois de la nature : cela ferait brèche au déterminisme et rabaisserait le Dieu transcendant, qu'on voit mal donner un coup de pouce dans l'ordre qu'il a lui-même établi. Ces répugnances-là s'étendent aujourd'hui au monde ecclésiastique, d'autant plus sensible à ce problème qu'il garde la mauvaise conscience des erreurs commises autrefois par l'Eglise lorsqu'elle prétendait imposer ses lois à la science de Galilée ou d'autres. Parmi les dernières guérisons retenues par le *Comité médical international* après mûre réflexion, 5 furent discrètement classées (pour ne pas dire enterrées) par les évêques auxquels revenait la reconnaissance canonique, après examen du point de vue religieux et chrétien. En plusieurs de ces cas, la *Commission épiscopale* s'est polarisée sur l'examen médical, clos (en principe) par l'instance suprême qu'est le *Comité international*. Avec les moyens de fortune de la médecine locale, la Commission ecclésiastique a remis en question le verdict établi par des sommités médicales. Par contre, ces mêmes Commissions semblent souvent peu préparées à exercer le discernement religieux et chrétien qui leur incombe spécifiquement : examen des circonstances et des fruits spirituels de la guérison.

Dans ces conditions, le *Comité médical international* de Lourdes ne se réunit que cinq fois de 1962 à 1975[70], et il ne tint aucune réunion du 3 mai 1971 (pour la reconnaissance de la guérison de Vittorio Micheli) à la rencontre convoquée

qu'on retire du jugement médical cette clause : *dans l'état actuel de la science.* Par contre, Mgr Gottardi, l'évêque de Trente, l'a reprise, en reconnaissant la guérison Micheli (26 mai 1976), mais assortie d'une clause vaguement compensatrice : « La guérison ne peut avoir aucune explication possible dans l'état actuel de la science *et à un niveau humain.* »

70. Les 5 réunions du Comité ont eu lieu les 20 mai 1962, 3 mai 1964, 20 mars 1966, 11 mai 1969, 3 mai 1971.

à Lourdes pour réorganisation (sans examen de guérison), les 12-13 octobre 1975[71].

Faits nouveaux et prospective

Cette impasse a été prise en considération à Lourdes. Le docteur Mangiapan, qui succéda au docteur Olivieri comme Président du Bureau médical, en 1972, publia, dès cette année-là, une série d'articles appelant une révision des critères de constat[72]. Une Commission de théologiens, d'historiens et de pasteurs, formée autour de lui et du Recteur des sanctuaires, s'attache à résoudre l'ensemble des problèmes sur la base d'études pluridisciplinaires.

Une des séances de l'année 1975 fut consacrée à un échange d'expériences entre cette Commission et les principaux initiateurs du charisme de guérison dans le renouveau charismatique catholique : Francis Mac Nutt, M. Scanlan, Regimbal, etc. Au retour du Congrès charismatique de Rome, ils ont passé deux jours à Lourdes pour une confrontation fructueuse.

Où va-t-on ?

71. *Réunion du Comité médical international* à Lourdes, les 11-12 octobre 1975, dans AMIL *(Association médicale internationale de Lourdes)*, n° 171-172, octobre 1975, p. 65-69.

72. *Jalons... Lourdes et les malades*, dans *Bulletin de liaison de l'hospitalité de Lourdes*, juillet 1973, n° 3, p. 14-18; octobre 1973, n° 4, p. 15-20; janvier 1974, n° 5, p. 13-20; avril 1974, n° 6, p. 11-20; juillet 1974, n° 7, p. 9-13. Ces cinq Bulletins constituent un supplément à *Recherches sur Lourdes*, n° 43-47. Ils sont introduits et conclus par un article de M. de ROTON, recteur des sanctuaires : *Réflexion par rapport à notre foi*, dans le même *Bulletin*, juillet 1973, n° 3, p. 19-20 et n° 7, p. 13-16. L'ensemble des 7 articles a été repris en abrégé dans AMIL, mais 1974, n° 165-166, p. 24-33.

Le docteur Mangiapan a établi un classement rationnel des dossiers de guérisons conservés au Bureau médical :

- De 1947 à mai 1954 (au temps du docteur Leuret - 1948-1953)

452 dossiers ouverts (en moyenne 62 par an)

10 guérisons acceptées par le *Comité National des médecins*

8 reconnues par l'Eglise

1. AU PLAN MÉDICAL, les constats doivent être évidemment repensés en fonction de l'évolution de la médecine, et plus profondément de la mutation culturelle. Les critères établis sur la base d'une mentalité scolastique ont perdu leur surface portante. Et le temps est passé où le scientisme voulait prouver contre la foi l'impossibilité du miracle, tandis que le catholicisme voulait lui opposer la preuve scientifique de miracles irrécusables.

Mais aujourd'hui, le scientisme et l'anti-scientisme sont dépassés. Il faut les renvoyer dos à dos, et raisonner de manière moins rigide et mieux circonstanciée sur un terrain où la science, plus consciente de la complexité du réel, est plus ouverte à la révision incessante de ses hypothèses, tandis que la foi, moins combattue, est plus consciente du caractère conjectural d'un discernement de l'action de Dieu, là même où elle est la plus éclatante. La relation à Dieu implique un mystère (au sens positif et profond du mot) et son action authentique reste dans ce clair obscur dont l'Evangile témoigne, soit par le refus que Jésus a opposé à ceux qui lui deman-

---

- De mai 1954 à la fin 1959 (au temps du docteur Pélissier)
208 dossiers ouverts (en moyenne 35 par an)
8 guérisons acceptées par le *Comité Médical international*
7 guérisons reconnues par l'Eglise.
- Début 1960 à fin 1972 (au temps du docteur Olivieri)
409 dossiers ouverts (en moyenne 34 par an)
10 guérisons admises par le *Comité médical international*
6 guérisons reconnues miraculeuses par l'Eglise.
- De 1973 à 1976
28 dossiers ouverts (environ 10 par an)
« Aucune guérison reconnue, ni par le CMIL, ni par l'Eglise », note le docteur Mangiapan, dans AMIL, octobre 1975, n° 171-172, p. 87. Mais l'autorité épiscopale et l'AMIL ont reconnu depuis lors, en 1976, chacun une nouvelle guérison.
Antérieurement, Bertrin a compté
- de 1880 à 1908 :
3 372 guérisons
- de 1924 à 1940 :
484 dossiers (dont 163 acceptés, 253 classés).
- de 1940 à 1947 :
53 dossiers ouverts, dont 10 acceptés, 43 classés (ib. p. 78 et 81).

daient des signes dans le ciel, soit par la manière dont il a manifesté sa Résurrection.

Aujourd'hui, maladie et guérison apparaissent comme des réalités infiniment complexes. Elles comportent assurément un aspect organique fondamental (anatomique, physiologique, psycho-chimique, relevant de la chirurgie ou de la médication). Mais elles relèvent aussi de facteurs symboliques, étudiés par la psychanalyse, et de facteurs socio-relationnels. La guérison implique un aspect psychologique dont les médecins s'occupent aujourd'hui délibérément. Les travaux du psychanalyste anglais Balint ont donné naissance à une branche nouvelle et considérable de la littérature médicale : celle qui concerne la relation médecin-malade, capitale en cette matière.

Mais si les médecins s'intéressent, par priorité, à leur relation au malade, il ne faut pas négliger les autres relations humaines, dont l'importance, non moins considérable, est moins bien étudiée : relation à la famille, au milieu professionnel, à la société globale, et, au cœur de tout cela, relation de l'homme (souvent divisé et déchiré) à lui-même et à Dieu, clé de voûte des relations interpersonnelles.

Cet aspect psychologique et relationnel avait été systématiquement éliminé par les critères classiques du constat. Selon ces critères, on ne reconnaît de guérisons à Lourdes que là où il s'agit d'une maladie organique, avec restitution des organes lésés. Et les guérisons dites fonctionnelles (rétablissement de la fonction sans restauration de l'organe) ne peuvent être reconnues; de même, les guérisons psychiques. Ce critère et d'autres conduiraient à cette conclusion paradoxale que la guérison idéale serait une guérison de type magique : celle d'un incroyant guéri sur un terrain purement physique — alors que l'aspect psychique est celui qui est le plus étroitement lié à la foi.

Ne faudrait-il pas prendre en considération les guérisons qu'on appelait « fonctionnelles » et, plus largement, tout l'aspect psychologique (ou, si l'on veut employer ce mot contesté : psychosomatique) des guérisons.

Cette situation invite à tirer les conséquences selon les lignes suivantes :

- Ne pas demander aux médecins de déclarer une guérison « inexplicable », mais de qualifier, de manière circonstanciée, le caractère insolite ou exceptionnel de cette guérison. C'est un point capital pour faire cesser quantité de malaises et de malentendus insolubles.

- Développer le discernement spécifiquement religieux et chrétien, jusqu'ici fort négligé, qui revient aux instances d'Eglise.

- Mieux articuler les divers aspects du constat.

- Redécouvrir, au-delà de certaines raideurs apologétiques et de systèmes dépassés, le sens de la fonction thérapeutique attestée de manière multiforme dans l'Ecriture Sainte et dans toute la tradition chrétienne. C'est là un travail de longue haleine[73].

- Enfin, réviser le juridisme qui tentait de réduire les guérisons de Lourdes au constat médical. Cela faisait peser sur le *Bureau médical* comme sur le *Comité médical international* un fardeau insoutenable, au détriment d'autres aspects de la guérison qui n'étaient pas assumés. Les instances religieuses elles-mêmes en furent souvent perturbées, jusqu'à perdre le sens de leur mission propre.

---

73. Ce point est développé dans R. LAURENTIN, *Pentecôtisme chez les catholiques*, Paris, Beauchesne, 1974, p. 145-157. Sur le fait qu'il n'y a jamais eu de censure contre les charismes de guérisons en tant que tels (ib., 146), voir aussi la bibliographie p. 132, note 2.

PÈLERINAGE POUR NOTRE TEMPS

Les problèmes sont pris en charge. Après 4 ans d'interruption, le *Comité médical international* a été convoqué à Lourdes les 12-13 octobre 1975. Un processus de réorganisation a été mis en route ainsi que la nomination de nouveaux membres. Un nouveau président, le professeur Barrière[74], ancien doyen de la Faculté de Médecine de Nantes, a été nommé, après démission du docteur Lance (qui avait manifesté une certaine perplexité sur le fond de la question, deux ans auparavant, sur les ondes de Radio-Luxembourg). Il a été décidé que les réunions auraient désormais une périodicité pour le moins annuelle. L'examen des dossiers a repris.

Cette remise en train de l'instance médicale est conduite de pair avec l'instauration de deux autres instances complémentaires, dont l'absence s'était graduellement fait sentir en ces dernières années.

2. INSTANCE PASTORALE. Lorsqu'une guérison ou tout autre événement de foi, conversion, par exemple, se produit à Lourdes, il importerait qu'il soit assumé, sur son terrain vécu, dans la prière : que le malade guéri et la communauté témoin de l'événement prennent conscience de ce qui s'est produit, exercent un discernement spirituel, et en tirent des conséquences fructueuses. Cela pourrait être l'occasion d'établir une première relation de la guérison, ainsi qu'on le faisait autrefois à Lourdes : une relation à chaud qui pourrait être assumée plus tard par l'autorité ecclésiastique, si l'événement est de taille à mériter une reconnaissance officielle et publique. Cette pastorale assumerait plus largement l'espérance de guérison, normale chez un malade. En ces dernières décennies on cultivait plutôt l'acceptation, le désintéressement. Cela n'a

---

74. Le professeur H. Barrière, titulaire de la chaire de Dermatologie de la Faculté de Nantes, est Président du Centre catholique des médecins français. Il est médecin-chef du Pèlerinage du diocèse de Nantes, précise l'article déjà cité de l'AMIL, n° 171-172, p. 66.

pas été sans fruits. Il est édifiant de voir des malades renoncer à prier pour eux-mêmes et prier pour les autres. Mais le Christ n'a pas découragé les malades qui s'adressaient à Lui pour guérir. Jamais dans l'Evangile il ne les a invités à la résignation.

On entrevoit la prudence qu'appelle une telle pastorale, menacée par bien des pièges. Elle a été mise en train, en 1976, et déjà tirée au clair à l'assemblée du 10 février 1977.

3. SUR LE TERRAIN DE L'INFORMATION, quelque chose a été fait, dès la fin de 1974, à la faveur des premiers travaux en Commission.

On a mis fin à la conspiration systématique du silence autour des guérisons. Elle n'avait pas évité des incidents. Car, à défaut de nouvelles officielles, il y avait des nouvelles sauvages. Devant les merveilles de Dieu, il y a des cas où la discrétion est impossible : « Les pierres crieraient », comme disait Jésus dans l'Evangile.

C'est ce qui est arrivé deux fois, durant l'année 1974, pour deux malades guéris à Lourdes. L'un, M. Emile David, d'Angers, parti pour Lourdes en se traînant douloureusement avec deux béquilles revint alerte, marchant sans canne, après le bain de piscine du 16 mai 1974. L'autre, dans le pèlerinage de Naples : un enfant, Paolo Tecchia, paralytique de naissance, âgé de 8 ans, fut guéri le 5 juillet. A leur retour, la guérison, qui n'avait pas percé à Lourdes, fit sensation et passa, non seulement dans la presse locale, mais dans les Dépêches d'Agences internationales. Les correspondants de presse de Lourdes reçurent des reproches de leurs directeurs respectifs pour n'avoir « pas fait leur métier ». Ils protestèrent contre le black-out et la consigne de discrétion qui les acculaient à des fautes professionnelles. Et ils eurent gain de cause.

Désormais, quand un malade se présente au *Bureau médical* en se disant guéri et que son dossier est ouvert dans des conditions de secret médical habituel, il est, non seulement autorisé, mais invité à se rendre au Bureau de presse, où les journalistes sont mis à même de le questionner, étant bien entendu que c'est aux risques et périls de l'intéressé, que cela n'engage que celui qui témoigne et les journalistes qui écrivent, non pas le *Bureau médical* ni aucune instance religieuse. Solution satisfaisante pour la presse à qui importe, non la certitude définitive, mais l'événement et son retentissement, fût-il problématique. Ce n'est qu'une étape.

Au terme de la conférence de presse du 7 décembre 1974, où le Dr Mangiapan leur ouvrit cette possibilité, les journalistes ont posé la question suivante :

— *Donnera-t-on enfin publicité aux délibérations du Comité médical international ?*

Question à l'étude.

En 1975, le presse a été mise à même de connaître trois guérisons présumées : la mise en train de ce nouveau processus ne va pas sans tâtonnement. Le premier des trois malades s'est dérobé au contact avec les journalistes. Et les trois sont des paralytiques. Selon l'Evangile même, ils sont (avec les aveugles qui recouvrent la vue) les signes frappants, exemplaires ; ceux que l'on retient. Mais ces cas sont aussi ceux qui se prêtent le plus mal à un constat médical. Ils étaient généralement écartés jusqu'ici selon les critères établis.

Dès maintenant, l'information est débloquée. C'est ainsi qu'une lettre, reçue du Japon, a été publiée dans le *Journal de la Grotte*, en janvier 1976, et répercutée de là dans plusieurs journaux (*Figaro*, 11 février 1976). Elle mérite d'être connue, à cause de sa fraîcheur. Mlle Hiroko Fujimura, une jeune fille paralytique de 30 ans s'était rendue à Lourdes, en août 1975. Sa mère avait eu la jaunisse au 7e mois de sa grossesse, et, depuis sa naissance, l'enfant « ne pouvait remuer ni bras ni jambes ». Le 25 août, après la messe, elle eut la surprise de pouvoir allonger une de ses jambes pour la première fois de sa vie. Elle a pu dormir sur le dos sans utiliser un amoncellement d'oreillers. Son élocution difficile s'est améliorée. Nul constat n'a été fait, nul dossier établi. La lettre ne parle pas de miracle. Hiroko garde des séquelles de son état, mais « elle est heureuse parce que, dit-elle, de cette manière, elle peut apporter son message de joie plus efficacement à d'autres handicapés ». Elle est « reconnaissante envers Dieu de ce qu'il a guéri son corps partiellement, et son esprit complètement ». Elle veut « employer sa vie à aider d'autres invalides ». Il semble peu probable qu'un tel cas prête à l'ouverture d'un dossier pour constat « de miracle ». Mais il témoigne d'une rencontre profonde et transformante avec Dieu. Nombre des guérisons de l'Evangile n'auraient sans doute pas intéressé le *Comité médical international*, s'il eût pu être sur les lieux à cette époque.

Il faudra du temps pour mettre au point le rôle des trois instances : pastorale, médicale et d'information, les articuler entre elles, et enfin mener à bien une réflexion théorique sur *miracles et guérisons*, tels qu'ils peuvent être conçus, selon l'Evangile, l'expérience et la culture d'aujourd'hui.

La Commission sur les guérisons, qui a lancé les diverses organisations sous la présidence de Mgr Donze, se réunira chaque année pour examiner les problèmes et progrès, ainsi que l'articulation des trois instances instaurées.

Deux faits survenus pendant l'édition de ce livre tendraient à prouver qu'on sort de l'impasse.

Un évêque italien a reconnu la guérison miraculeuse de V. Micheli, en suspens depuis 13 ans (car la guérison datait du 1er juin 1964 : *Recherches sur Lourdes,* no 55, juillet 1976, p. 169-175).

Et le *Comité médical international* a reconnu, après des années de silence, le 17 octobre 1976, la guérison de M. Serge Perrin atteint d'hémiplégie accompagnée de cécité de l'œil gauche, classé en 1969 dans la catégorie « invalide no 3 », incapable d'exercer aucune profession et astreint à l'assistance d'une tierce personne pour accomplir les actes ordinaires de la vie. Il avait été guéri au cours d'un pèlerinage à Lourdes, en avril 1970, et avait repris l'ensemble de ses activités, y compris professionnelles. Le *Comité international* a voté, à l'unanimité, la déclaration suivante :

> *M. Serge Perrin a présenté une hémiplégie récidivante organique, avec lésions oculaires, par troubles circulatoires cérébraux, sans qu'il soit possible d'apporter une précision sur la nature et le niveau des lésions vasculaires. La guérison de cet état, en l'absence de traitements efficaces, par son caractère d'instantanéité, et l'absence de vraies séquelles, certaine et stable depuis 6 ans, peut être considérée comme acquise, de façon tout à fait inhabituelle du point de vue médical.*

L'important, c'est de restaurer la *fonction thérapeutique* toujours vivante dans le christianisme. Elle a repris, en ces dernières années, un sens et une actualité nouvelle, sans contradiction avec la médecine qui mesure mieux ses limites, et s'aperçoit que le mot « guérison » échappe à la définition scientifique. Pourtant, la guérison est ce qui importe à l'homme. A Lourdes comme ailleurs, l'amour guérit. Il guérit la mémoire et la relation de chaque homme aux autres hommes, à lui-même et à Dieu. Il fructifie normalement dans l'action de grâce et la générosité du don de soi. Lourdes vivifie ce processus. Une pastorale trop prudente sinon chagrine, l'avait réprimé, au bénéfice, non de la médecine, mais de « guérisseurs » de toutes sortes, qui ont recueilli la fonction vacante de manière souvent trouble et parfois catastrophique. Il importait d'assumer à neuf cette fonction, en faisant droit, non seulement aux exigences de la science et au sérieux de la foi, mais aux racines de l'espérance et au droit qu'a Dieu « de faire miracle en ce lieu ». D'où le labeur mis en train pour trouver une issue à cette question complexe.

Ce n'est pas la seule. A Lourdes comme ailleurs le christianisme est histoire, événement, cheminement. Il ne faut pas attendre de repos ni de définitif jusqu'à ce que le Seigneur vienne. La vie est un pèlerinage.

Conclusion

La conjoncture et l'avenir

Après avoir souffert de quelques excès, puis de quelques scléroses, et enfin d'un afflux de critiques dépréciatives, Lourdes connaît aujourd'hui un regain de vitalité, au confluent de facteurs nouveaux : revalorisation de la religion populaire, du voyage, de la guérison, etc. Vents favorables et vents contraires ont été bien assumés par une pastorale responsable, pour orienter le pèlerinage dans le sens d'une foi authentique et engagée.

Certes, Lourdes, à la différence de l'Eglise, n'a pas reçu des promesses de vie éternelle. Mais l'avenir se présente bien. Cet avenir ne sera pas la pétrification des réussites actuelles. La vitalité d'aujourd'hui ne peut se maintenir que dans la mesure où les difficultés sans cesse renaissantes continueront de trouver leur solution cohérente, tandis que surgiront de nouveaux défis : ce qui ne manquera pas dans une société en mutation. Il serait donc trompeur de finir sur un point d'orgue, comme si tous les problèmes avaient trouvé leur solution parfaite. Lourdes est une symphonie inachevée.

La cohérence

Ce qui apparaît, au terme de cette étude, c'est la cohérence des deux registres de cette symphonie :

- Vitalité de la religion populaire.
- Ouverture et qualité de la pastorale, qui accueille, assume et oriente, à la fois la tradition et la créativité.

A l'heure où *vie* et *institution* se trouvent si souvent dissociées, cette harmonie a valeur d'exemple.

Car la religiosité a quelque chose d'ambigu et parfois même de sauvage; les initiatives chrétiennes en matière de pèlerinages pourraient verser dans l'alibi et l'anarchie si des institutions n'y mettaient bon ordre, en offrant à la foi un appui, un cadre, des moyens de réalisation, et une canalisation exigeante. A Lourdes, les équilibres naturels du peuple de Dieu, et plus spécialement du pèlerinage sont respectés. Son attachement aux traditions et son goût de la nouveauté y trouvent une réponse équilibrée. Cette pastorale n'est pas idéologique ni *a priori*, mais empirique, accueillante et prévenante, en référence aux lumières de la foi et des sciences humaines.

L'évolution

Les évolutions accomplies ont été considérables. Elles ont pris, à certains égards, des proportions de révolution. Le pèlerinage avait été longtemps un lieu de ralliement et de survie pour des lambeaux de formes sociales en voie de disparition. Durant le second quart de ce siècle, le conservateur du Musée de Lourdes se plaisait à photographier pendant les pèlerinages, des types archaïques : costumes et coiffes des diverses régions de France, profils d'aristocrates ou de prêtres superbes. Le règne de l'aristocratie et du clergé semblait se perpétuer de manière idyllique sur ce peuple à dominante paysanne. La noblesse dirigeait les services hospitaliers, sous l'autorité épiscopale qui gouvernait l'ensemble. Cette double hiérarchie séculière et d'Eglise, qui reflétait encore la société de l'Ancien Régime, c'est maintenant du passé.

Sans rupture, Lourdes a fait avancer son héritage spirituel selon l'exigence de nouveaux rapports sociaux dans l'Eglise et dans la société, en prévoyant un avenir dont la loi actuelle est une accélération. Sans doute l'Evangile nous invite-t-il à vivre le quotidien, selon la maxime : « A chaque jour suffit sa peine » (Mt 6, 34), mais aussi à édifier le futur de Dieu et des hommes. C'est pourquoi le pèlerinage ne peut survivre qu'à force d'initiatives capables de projeter les hommes vers un avenir qui est aussi l'avenir de Dieu. Les « progrès » réalisés ont été, dans une large mesure, un retour au passé. La frénésie de constructions et de décorations où s'exaltait l'abbé Peyramale a fait place au souci écologique de sauvegarder et de restaurer le site. La polarisation mariale, parfois étroite, s'est ouverte au grand courant d'espérance qui anima le peuple des premiers pèlerins, avant même que l'apparition ait livré son nom. Le paternalisme qui avait présidé à la prise en charge du pèlerinage populaire s'est effacé au profit de la fraternité selon la norme évangélique : « N'appelez personne Père sur la terre » (Mt 23, 9).

L'Evangile

Le message de Lourdes est de mieux en mieux compris comme une dynamique ouverte bien au-delà des termes explicitement transmis par Bernadette. Pauvreté, guérison, ces messages en acte ont inspiré le pèlerinage au-delà des mots.

Et surtout, ce message est de mieux en mieux perçu, en référence à l'Evangile dont il est un écho. C'est ainsi qu'il manifeste de mieux en mieux son universalisme. Les paroles et actes posés par Bernadette sont lus en transparence sur le fond du message chrétien dont ils réactivent quelques points vitaux. Telle avait été, dès l'origine, la démarche de Bernadette elle-même. Cette enfant sans instruction, ignorante de toutes sciences humaines (y compris lire et écrire), ignorante aussi des dogmes, était fortement unie à Dieu dès l'enfance. C'était l'union simple des pauvres, qui savent tout donner, tout accepter. Comme sainte Catherine Labouré ou le Curé d'Ars. On n'avait rien enseigné à Bernadette, elle ne savait rien, mais elle avait tout accueilli, tout compris par l'intérieur. Et cette intériorité la caractérise. Elle n'a pas témoigné des apparitions seulement en paroles, mais en actes, par sa vie tout entière. L'étude méthodique de ses gestes et paroles, réalisée dans un autre livre[75], a manifesté à quel point son existence était structurée par les mots clés du message de Lourdes, et inspirée, en dernier ressort, par quelque chose de plus radical : la charité (l'agapè au sens le plus fort), et finalement — ce qui est la même chose — « Dieu seul[76] ».

Si Bernadette a vécu tout cela dans une étonnante pureté, le pèlerinage ne fut pas sans excès ni sans accidents. L'épidémie des visionnaires (13 avril-9 juillet 1858) le manifeste. Mais finalement, c'est l'Evangile qui a pris le dessus, comme toujours, là où d'authentiques charismes sont en œuvre, avec une dimension de discernement, d'humilité, d'accueil et d'obéissance.

Lourdes n'est qu'un relais du message évangélique. Bernadette n'a fait qu'en reprendre les premiers mots, comme les premières notes d'un air familier, qui revient tout seul après cela : pauvreté, prière, pénitence, et c'est la Vierge Marie,

75. Ce rapport de Lourdes à l'Evangile était le thème fondamental (et alors neuf) de mon premier livre *Sens de Lourdes*, p. 89-93 (Paris, Lethielleux, 1955). Pie XII a remis ce thème en pleine lumière dans le document publié pour l'ouverture du Centenaire de Lourdes (1958).

76. R. LAURENTIN, *Logia de Bernadette*, Paris, Lethielleux, 1971, tome 3, p. 204-227.

inscrite, elle aussi, dans les prolégomènes de l'Evangile (Luc, 1, 38-55), qui entonne cet air oublié mais familier, celui du *Magnificat*.

Marie et l'Esprit Saint

Au terme de cet exposé, celui qui, après avoir scruté les sources historiques de Lourdes a tenté d'en présenter l'actualité ainsi que l'avenir, voit s'imposer une évidence, requise à la fois par les sources les plus lointaines et par la dynamique de l'étape la plus récente. Cette évidence tient en ceci : au-delà même des mots du message, au-delà de Bernadette, au-delà même de Marie, la messagère dont la voyante n'est que le reflet, Lourdes se présente comme *un signe et une œuvre de l'Esprit Saint*.

Cette conclusion peut sembler paradoxale, sinon tirée par les cheveux, car le rôle de l'Esprit Saint *n'est pas explicite* à Lourdes.

Mais cette discrétion, cet anonymat, ne doivent pas nous étonner, car l'Esprit Saint est, par sa place même dans la vie de Dieu et de l'Eglise, la plus secrète des personnes de la Trinité : celle qui est au cœur et révèle les deux autres. Dans la Trinité comme dans l'Eglise, en effet, l'Esprit Saint est le lien, le don, le jaillissement : il est l'Amour, la Communion, le Nous du Père et du Fils, le *nous* communautaire de l'Eglise. Il réalise la promesse du Christ (Act. 1, 4) et sa puissance effective dans le cœur des hommes : le « dynamisme » promis par Jésus (*Act* 1, 8). Il est donc normal qu'il ne puisse être discerné qu'au prix d'une attention seconde, au-delà des apparences. C'est la Vierge qui est apparue à Lourdes. Et il était dans sa nature d'apparaître, humainement. Mais ce n'est pas dans la nature de l'Esprit, invisible par essence, et dont nul « ne sait d'où il vient ni où il va ».

- Il est discret vis-à-vis du Christ, car « il ne dit rien de lui-même », mais « rappelle », en termes de lumière et de puissance, les paroles de Jésus (Jn 14, 26; 16, 13). Il est comme le projecteur qui éclaire ces paroles et le Christ lui-même, Verbe de Dieu. Le projecteur n'est pas fait pour être regardé en face. Il a pour fonction de mettre en lumière ce qu'il éclaire. Ainsi, l'Esprit Saint est-il en quelque sorte derrière nous comme une lumière, et non pas devant nous comme un objet. Et c'est ainsi qu'il n'y a guère d'iconographie possible du Paraclet. L'Esprit Saint ne parle pas de lui-même, ni même en son nom, quand il nous fait dire : « Abba », Père (ce qui est son rôle, selon l'apôtre Paul : Actes 8, 15 et Gal. 6). Ce n'est pas son langage à lui, car il n'est pas *Fils* du Père. C'est un langage qu'il nous inspire, en vérité, à nous qui avons vocation de fils de Dieu en Jésus-Christ. Il s'efface donc devant la deuxième Personne pour la révéler, comme le Fils lui-même s'efface et s'anéantit en quelque sorte pour nous révéler le Père.

- Le Saint-Esprit s'efface également devant chaque chrétien, car il éveille à eux-mêmes, chaque homme, chaque communauté, chaque Eglise, chaque peuple, selon leurs diversités. Il les suscite à leurs valeurs propres, à leur liberté. Il se fait discret pour promouvoir au meilleur d'elles-mêmes les libertés, afin qu'elles s'accomplissent en faisant retour au Père par le Fils, retour à la source première. C'est en gardant l'anonymat qu'il inspire la nouveauté dans la conformité à la tradition qui vient du Christ.

C'est pourquoi il convient, en terminant, de rendre justice au rôle de l'Esprit : « le Dieu inconnu[77] ». Ce qui doit être dit ne diminue pas, mais éclaire et valorise tout ce qui précède,

---

77. *Le Dieu inconnu* : tel est le titre d'un livre du père Dillard, prêtre ouvrier mort en Allemagne, durant la guerre de 1940. Quelques décennies auparavant, Mgr Landrieux titrait de manière analogue : *Le Divin Méconnu*.

car la manière dont l'Esprit s'est manifesté à Lourdes témoigne de l'authenticité du message.

Lourdes est un lieu inspiré par l'Esprit : ce fut, dès l'origine, au temps des apparitions, un lieu d'effusion, de charismes. Le charisme des apparitions pour Bernadette, mais aussi l'efflorescence des autres charismes : les guérisons physiques et spirituelles, la délivrance, et tout ce qui a surgi dans ce sens-là. En un temps où les dons de l'Esprit Saint étaient étroitement canalisés, les apparitions étaient un des rares canaux ouverts à l'élan prophétique et dynamique de l'Esprit dans l'Eglise, comme l'a montré Karl Rahner[78]. Ainsi, le charisme de Bernadette a-t-il surgi, dans le prolongement du charisme secret de son aînée, sainte Catherine Labouré, dont les apparitions avaient été à la source d'un immense mouvement de grâces et de conversions, sous une tout autre forme. Les guérisons qui ont surgi à Lourdes étaient aussi un charisme accepté dans l'Eglise, du moins à certaines conditions. L'Eglise n'a jamais prononcé aucune condamnation à l'égard de ce charisme-là, avons-nous vu, et c'est là une étonnante exception.

L'un des leaders du *Renouveau charismatique*, le Père Albert de Monléon, dominicain, relisant l'histoire des apparitions, me disait se trouver en pays de connaissance. L'expérience du *Renouveau dans l'Esprit* lui a donné la clé d'une lecture éclairante de l'histoire de Lourdes, telle qu'elle a été objectivement établie[79].

---

78. Sur cette étroite limitation des charismes, K. RAHNER, *Visionen und prophezeiungen*, Insbrück 1958 (traduction espagnole : *Visiones y prophecias*, Saint Sébastien, 1956).

79. A. M. de MONLÉON, *Les apparitions de Lourdes et le Renouveau spirituel*, dans *Cahiers marials*, n° 90, 15 novembre 1973, p. 333-342. L'auteur souligne d'abord les différences : d'un côté l'apparition de Marie à la seule Bernadette; de l'autre, une manifestation communautaire de l'Esprit. A partir de là, il manifeste les analogies entre ce qui se passe aujourd'hui dans le *Renouveau charismatique*, et ce qui se passa

C'est comme effusion de l'Esprit, comme une manifestation de ses dons et de sa puissance infinie, et comme signe de sa vitalité irrépressible que Lourdes est né. Les apparitions ont fait naître spontanément à la Grotte les assemblées de prière fervente, dont les services se sont improvisés, comme nous l'avons vu à maints détours de cet exposé. Un des aspects de la naissance de Lourdes, c'est la réinvention de signes étriqués par l'habitude, l'hébétude, la crainte et le vieillissement. Ainsi la réinvention du rite d'immersion a-t-elle ramené à son sens étymologique le mot *baptizein* (plonger dans l'eau). Ainsi, la prière corporelle a-t-elle resurgi à la Grotte. Lourdes a été progressivement l'édification d'une communauté de prière et de témoignage, selon la fonction même des charismes.

Cette animation s'est continuée à Lourdes, à travers l'épaisseur, la pesanteur et le péché des hommes. Ce qui est vrai au plan des charismes se vérifie aussi au plan symbolique.

A l'origine, deux des signes les plus significatifs de Lourdes sont typiquement des symboles de l'Esprit Saint.
- D'abord, le tout premier, le coup de vent qui précéda l'apparition.
- Puis celui qui fut et reste le plus apparent et le plus signifiant, au centre même de la quinzaine des apparitions : la source.

Ces deux signes attestent la corélation de l'*eau* et de l'*Esprit*, si fortement inscrite dans l'Evangile[80]. Il faut y regarder de plus près.

---

pour Bernadette et pour la foule, ainsi que les affinités entre le message de Lourdes et ce qui est vécu dans le Renouveau.

Dom B. BILLET a repris ce thème au *Congrès marial international* de Pentecôte 1975 : *Lourdes, lieu charismatique de présence mariale*, dans *Recherches sur Lourdes*, nº 52, octobre 1975, p. 171-187. Il rappelle que le cardinal A. Ottaviani avait parlé en ce sens au Congrès marial de Lourdes : « Marie ne cesse pas d'être présente et agissante dans cette Pentecôte continue » de l'Eglise. Ainsi Mgr P. M. THÉAS présentait-il le Centenaire de Lourdes comme « une Pentecôte mariale » dans JGL, 25 janvier 1959.

80. Sur le lien entre l'eau et l'Esprit, si fortement marqué dans tous les récits du Baptême de Jésus, voir surtout Jean 3, 5, et Jean I 5, 6-8 à rapprocher de 19,

1. Bernadette évoque en ces termes le signal qu'elle perçut, en ôtant son premier bas pour traverser le canal, après ses compagnes, le 11 février 1858 :

J'entendis un bruit comme si c'eût été un coup de vent.

Ces derniers mots frappèrent vivement l'abbé Pomian, vicaire de la paroisse, quand Bernadette vint se confier à lui, le surlendemain de la première apparition[81]. Il a retenu les mots patois employés par Bernadette : *Uo rumou como u cop de bent.*

Bernadette ne dit pas qu'elle a *entendu un coup de vent.* Elle précise, bien au contraire, qu'il n'y avait *pas de vent.* Elle en a fait la vérification lucide, en fille des champs et bergère qu'elle était :

Alors je tournai la tête du côté de la prairie (du côté opposé à la Grotte), je vis que les arbres ne remuaient pas.

Bernadette ne connaissait pas les *Actes des Apôtres*, elle qui ne parlait pas encore le français et ignorait jusqu'au mystère de la Trinité. Elle n'a jamais établi de rapprochement entre l'apparition et la Pentecôte selon Luc, du moins à notre connaissance. Mais les termes dans lesquels elle exprime cette expérience recouvrent exactement ceux de Luc en *Actes* 2, 2 :

Vint du ciel un bruit comme *celui d'un* violent *coup de vent.*

La différence, c'est que Bernadette n'a pas mis le moindre adjectif pour qualifier ce signe avant-coureur. Et elle ne dit pas d'où venait ce bruit dont l'origine la déconcerte. Elle était la sobriété même.

---

30 et 34. S'il y a un contraste entre baptême dans l'eau et dans l'Esprit (Jn 1, 33; Act 1, 5; 11, 16), il y a en définitive harmonie et synthèse, comme il est déjà clair dans Act 10, 47 : « Peut-on refuser l'eau du Baptême à ceux qui ont reçu l'Esprit Saint », etc. Toutefois, on ne saurait éluder ce qu'il y a de contrasté dans la présentation biblique de ces deux termes. S. PORSCH (*Pneuma und Wort*, Francfort sur le Mein, Bacht, 1974) va jusqu'à voir dans la mention de l'eau (en plus de l'Esprit) une addition aux paroles de Jésus lui-même.
  81. LHA 2, p. 201-204.

Par contre, elle précise que ce coup de vent a été réitéré. Et c'est après le coup de vent qu'elle perçoit la lumière dans laquelle se manifeste ensuite l'apparition.

La lumière est aussi un signe de l'Esprit. C'est dans sa lumière et dans sa vie même qu'existe et se manifeste la Communion des Saints, et, au point de départ, cette communion humaine de Marie avec le Fils de Dieu à qui elle donne naissance.

Cette résurgence du souffle de Pentecôte aux origines de Lourdes est conforme à la doctrine des *Actes des Apôtres* où il n'y a pas *une seule* Pentecôte, suivie d'une retombée, mais un resurgissement perpétuel de la Pentecôte, dans la communauté primitive (Act 4, 31), en Samarie (8, 17), chez les païens (Act 10, 44-46; 11, 15; 15, 8) et chez les johannites d'Ephèse (19, 6).

Il faut garder à ce symbole le dépouillement et la sobriété, sinon l'anonymat que Bernadette a étonnamment respecté.

2. L'autre signe, c'est l'eau souterraine que Bernadette commença de faire jaillir du fond de la Grotte, le 25 février.

C'est un autre signe biblique de l'Esprit : « source d'eau jaillissante pour la vie éternelle », selon l'Evangile de Jean (4, 14), car Il est la vie même de Dieu, telle qu'elle jaillit au terme de la procession trinitaire, dans le cœur même des croyants :

> *Celui qui croit en Moi, des sources d'eau vive jailliront du plus profond de lui-même, dit Jésus selon Jean 7, 37.*

Et l'évangéliste précise :

> *Il disait cela de l'Esprit qui devait venir, car il est source de liberté, de vie, de structuration intérieure pour les croyants et l'Eglise même.*

A Lourdes, ce symbole est mis en valeur par un contraste saisissant : la source de la Grotte a commencé à sourdre à travers la boue. Elle fut d'abord trouble, à en écœurer Bernadette. Elle devint claire à mesure qu'on dégagea le gîte de la « fontaine » en venant y puiser. Cela répond bien à ce qu'est l'œuvre de l'Esprit en nous. Sa puissance éveille, avec le meilleur de notre être, les eaux troubles de nos richesses ambiguës. Et cela peut être troublant. Combien de chrétiens l'ont ressenti, à l'heure de leur conversion. L'Esprit Saint se décante dans nos vies de pécheurs par une épreuve analogue à celle de Bernadette devant la fontaine boueuse où elle puisa, la première, le 25 février : une boue répugnante, oui, mais que le jaillissement de la source purifie.

En matière de déchiffrement symbolique, le raffinement est l'ennemi du sens. Il l'affaiblit et le disperse. Il faut donc s'en tenir aux signes clés. S'ils sont justes, chacun s'y retrouvera. Voilà pour l'histoire.

Mais aujourd'hui, le souffle de l'Esprit n'a pas abandonné Lourdes. Et la source y demeure comme une icône et un langage de l'avenir.

Air
Fire (light, candles)
Water
Earth

TABLE DES MATIERES

DU MÊME AUTEUR

AUX ÉDITIONS BEAUCHESNE
L'Eglise a-t-elle trahi ?
Thérèse de Lisieux : Mythes et réalité
Thérèse de Lisieux : Verse et controverse avec J.-F. Six
Pentecôtisme chez les catholiques

AUX ÉDITIONS DU SEUIL
L'enjeu du Concile *(4 vol.)*
Bilan du Concile
Bilan du Concile Vatican II
(collection Livre de Vie)
La question mariale
L'enjeu du Synode
Flashes sur l'Amérique latine
L'Amérique latine à l'heure de l'enfantement
Développement et Salut
Enjeu du deuxième Synode et Contestation dans l'Eglise
Synode permanent, naissance et avenir
Flashes sur l'Extrême-Orient
Nouveaux ministères et fin du clergé devant le IIIe Synode
Réorientation de l'Eglise après le IIIe Synode
Israël

AUX ÉDITIONS LETHIELLEUX
Court Traité sur la Vierge Marie
Le titre de corédemptrice, étude historique
Sens de Lourdes
Bernadette raconte les apparitions
Lourdes, documents authentiques
(6 volumes en collaboration)
Lourdes, histoire authentique des apparitions
(6 autres volumes)
Les apparitions de Lourdes, récit *(1 vol.)*
La Vierge au Concile

AUX ÉDITIONS CASTERMAN
L'Eglise et les Juifs à Vatican II

AUX ÉDITIONS DESCLÉE DE BROUWER
Notre-Dame et la Messe
Chine et christianisme

AUX ÉDITIONS GABALDA
Structure et Théologie de Luc 1-2
Jésus au Temple

AUX ÉDITIONS DE LA BONNE PRESSE
Message de Lourdes

A L'APOSTOLAT DES ÉDITIONS
Dieu est-il mort ?
Nouvelles dimensions de la charité
Pontmain, histoire authentique *(3 vol.)*
Logia de Bernadette *(3 vol.)*

ACHEVÉ D'IMPRIMER
LE 31 MARS 1977
SUR LES PRESSES DE
LA SCOP-SADAG A BELLEGARDE

Dépôt légal 1er trimestre 1977
No imprimeur 1296

Couverture de René PERRIN